Za Niebieskimi Drzwiami

Marcin Szczygielski

Urodzony w Warszawie w 1972 r. pisarz, dziennikarz i grafik. Autor książek dla dorosłych – *PL-BOY2*, *Les Farfocles*, *Berek*, *Bierki*, *Poczet Królowych polskich*, *Sanato*, *Bingo* i sztuk teatralnych *Berek, czyli upiór w moherze*, *Wydmuszka*, *Furie*, *Kallas*, *Single i remiksy*, *Kochanie na kredyt*, *Single po japońsku* – oraz wielokrotnie nagradzanych powieści dla młodszych czytelników – *Omega*, *Czarny Młyn*, *Za niebieskimi drzwiami*, *Arka Czasu*, *Czarownica piętro niżej* i *Tuczarnia motyli*.

Jego książki dla młodzieży trzykrotnie wygrywały Konkurs Literacki im. Astrid Lindgren (*Czarny Młyn* w 2010 r., *Arka Czasu* w 2013 r., *Teatr Niewidzialnych Dzieci* w 2016 r.), natomiast powicść *Omega* otrzymała tytuł Książki Roku 2010 w konkursie literackim Polskiej Sekcji IBBY.

Powieść *Za niebieskimi drzwiami* w 2011 r. została uhonorowana Nagrodą DONGA (kontynuatorką wieloletniej tradycji konkursu Dziecięcy Bestseller Roku).

Autor był czterokrotnie wyróżniany w Konkursie Literackim im. Haliny Skrobiszewskiej: *Omega* w 2010 r. (wyróżnienie), *Za niebieskimi drzwiami* w 2011 r. (II nagroda), *Arka Czasu* w 2014 r. (I nagroda), *Tuczarnia motyli* w 2015 r. (I nagroda). Każda z tych powieści została także wpisana na Listę Skarbów Muzeum Książki Dziecięcej.

Powieść *Czarownica piętro niżej* natomiast została uhonorowana Nagrodą Literacką „Zielona Gąska" dla najlepszej książki dziecięcej 2013 r. przyznawaną przez Fundację „Zielona Gęś" im. Konstantego Ildefonsa Gałczyńskiego.

W 2014 r. autor został uhonorowany Nagrodą Literacką „Guliwer w krainie Olbrzymów" za dotychczasowe dokonania w dziedzinie literatury dziecięcej i młodzieżowej.

Niemieckie wydanie *Arki Czasu* (*Flügel aus Papier*) otrzymało w austriackim konkursie literackim Jury der Jungen Leser nagrodę główną Kinderbuchpreis 2015 oraz tytuł Książki Roku 2015 dla dzieci między 10. a 13. rokiem życia.

W 2016 r. *Arka Czasu* została wydana na Ukranie, a *Za niebieskimi drzwiami* w Niemczech, Austrii i Szwajcarii. Jesienią 2016 r. do kin wejdzie ekranizacja tej powieści, równolegle z premierą najnowszej, skierowanej do młodszych czytelników, książki autora – *Klątwy dziewiątych urodzin*.

Książki autora:

skierowane do młodszych odbiorców:

- ***Omega*** (2009)
- ***Czarny Młyn*** (2011)
- ***Czarownica piętro niżej*** (2013)
- ***Arka Czasu*** (2013)
- ***Tuczarnia motyli*** (2014)
- ***Teatr Niewidzialnych Dzieci*** (2016)
- ***Klątwa dziewiątych urodzin*** (2016)

MARCIN SZCZYGIELSKI

Za niebieskimi drzwiami

Warszawa 2016

Redakcja
Anna Nastulanka

Korekta
Agata Nastula

Zdjęcie autora

Zdjęcia z filmu „Za niebieskimi drzwiami" oraz elementy graficzne
na okładce i stronie tytułowej

Projekt typograficzny i skład komputerowy
Oficyna Wydawnicza AS

Druk i oprawa
BZ Graf Białostockie Zakłady Graficzne SA
www.bzgraf.pl

ISBN 978-83-63841-43-0

INSTYTUT WYDAWNICZY LATARNIK
IM. ZYGMUNTA KAŁUŻYŃSKIEGO
ul. Cypryjska 89, 02-761 Warszawa
tel./faks 22 614 28 34
e-mail: latarnik@latarnik.com.pl

Zapraszamy do księgarni internetowej
www.latarnik.com.pl

Dystrybucja
fk Firma Księgarska Jacek Olesiejuk Sp. z o.o.
ul. Poznańska 91, 05-850 Ożarów Mazowiecki
www.olesiejuk.pl

Warszawa 2016
Wydanie IV

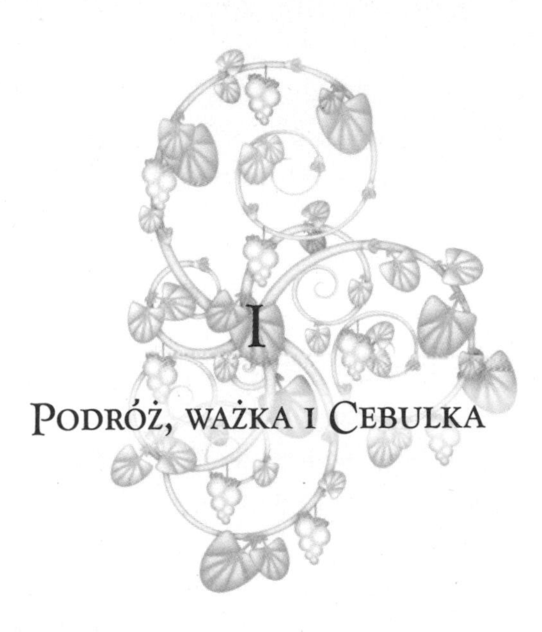

I

Podróż, ważka i Cebulka

ardzo często myślę o tamtym dniu, chociaż minął już ponad rok. Ale trudno pewnie byłoby nie myśleć — przecież tak naprawdę właśnie tamtego dnia całe moje życie stanęło na głowie. Miałem dopiero jedenaście lat i dużo mniej rozumiałem. To był bardzo ważny dzień i czekałem na niego długo — ładnych kilka miesięcy. Pierwszy dzień moich wakacji z mamą, która obiecała mi je już na Gwiazdkę. Pewnie wydaje się wam, że nie ma w tym nic dziwnego i że jest to zupełnie normalne — jechać na wakacje z mamą, szczególnie kiedy jest się małym. Dla mnie jednak było to bardzo ważne wydarzenie. Mama nigdy wcześniej nie miała czasu na nasze wspólne wakacje, bo pracowała bardzo dużo, właściwie ciągle. Nawet kiedy była w domu, siedziała bez przerwy przed komputerem. Czasami byłem na nią zły za to, ale tylko czasami, bo rozumiałem, że pracuje tak dużo dlatego, żeby żyło nam się dobrze, i że robi to też i dla mnie – żebym miał różne rzeczy, mógł chodzić do dobrej szkoły. Żebyśmy mieli duże mieszkanie i porządny samochód. Wszystko zależało tylko od niej, bo byliśmy tylko we dwoje. Nigdy nie poznałem mojego taty, nawet nie widziałem żadnego jego zdjęcia, a mama niechętnie o nim opowiadała, chociaż próbowałem ją podpytywać wiele razy. Moi koledzy z warszawskiej podstawówki mieli ojców – co prawda rzadko w domu, bo najczęściej ich rodzice byli po rozwodzie. Niemniej znali tych swoich ojców i cokolwiek o nich wiedzieli – na przykład ile mają wzrostu albo jak im na imię. Ja nie wiedziałem zupełnie nic, a przecież skoro jestem, to muszę mieć jakiegoś ojca. Mama denerwowała się, kiedy zaczynałem pytać, więc w końcu przestałem. Powiedziała tylko, że tata miał ciemne włosy, takie jak moje, i że jestem do niego podobny, bo on też, gdy się już do czegoś przyczepił, to nie mógł się odczepić. Najpierw, kiedy mi o tym powiedziała, wydawało mi się, że mój tata jest kimś w rodzaju Spidermana, który potrafi przyczepić się do ściany albo do sufitu – byłem wtedy bardzo mały – ale potem zrozumiałem, że chodziło o coś innego... Ale chyba odbiegam od tematu – to jest mój problem, że gdy zaczynam o czymś opowiadać, zaraz przychodzą mi do głowy kolejne sprawy i zamiast mówić o jednym, mówię o milionie różnych rzeczy.

Tamten dzień zaczął się dokładnie tak, jak powinien się zacząć. Mama obudziła mnie już o siódmej rano, słońce świeciło i na niebie nie było ani jednej chmurki. W przedpokoju stały już nasze bagaże – szara walizka na kółkach mamy, moja niebieska, wiklinowy koszyk z klapą zamykaną na małą skórzaną skuwkę, dwie reklamówki z butami na zmianę, pokrowiec z playstation, plecak z laptopem i jeszcze jakieś inne pakunki. Nie będę o nich dokładnie opowiadał, bo to przecież bez znaczenia — ot, kupa gratów, którą zabiera się ze sobą, kiedy jedzie się na dwa tygodnie wakacji do domku nad jeziorem. Pamiętam jednak tę stertę bagaży, zupełnie jakbym miał w głowie jej zdjęcie, i gdybym umiał rysować, narysowałbym ją w pięć minut, no, może w siedem. Zjedliśmy śniadanie, mama wypiła kawę z mlekiem i zapytała:

— Gotowy?

A ja byłem gotowy jak nigdy wcześniej w życiu. Wynieśliśmy bagaże do windy, mama przekręciła klucz w zamku i dwa razy szarpnęła klamkę, żeby się upewnić, że drzwi naprawdę są zamknięte. Zawsze tak robiła. Potem zjechaliśmy windą do garażu i upakowaliśmy bagaże w srebrnym audi mamy. Wszystko się zmieściło.

Była niedziela i w Warszawie prawie nikogo nie było na ulicach, bo ludzie albo jeszcze spali, albo wyjechali na wakacje. Pani z GPS-u przyczepionego pod przednią szybą auta odzywała się co jakiś czas łagodnym, sztucznym głosem: „Sto metrów prosto, skręć w lewo, skręć w prawo, trzysta metrów prosto". Mama odpowiadała jej, bo moja mama zawsze rozmawia z GPS-em, i w ogóle kiedy prowadzi samochód, ciągle coś mówi — jeśli nie do GPS-u, to do innych kierowców albo przechodniów, chociaż przecież nie mogą jej usłyszeć. Bardzo to lubię, bo mama na ogół mówi śmieszne rzeczy, chyba że jest zdenerwowana albo zła — wtedy się nie odzywa lub przeklina pod nosem, niezbyt głośno, żebym nie słyszał, ale przecież ja...

No, tak, chyba znowu odbiegam od tematu. A więc — tamten dzień.

Siedziałem sobie z tyłu przypięty pasem. Miałem opakowanie chipsów orzechowych, dwie nowe gry na iPhonie, ciemne okulary na nosie i było mi strasznie dobrze. Za oknami przesuwały się drzewa, pani z GPS-u mówiła, mama odpowiadała jej zabawnie. Audi było nowe i ładnie pachniało – mama kupiła je na kredyt. Miało niebieskoturkusowe siedzenia i srebrną deskę rozdzielczą z okrągłymi wskaźnikami i błękitnymi diodami. Wyjechaliśmy z Warszawy na drogę gdańską – pamiętam to dobrze, bo mama powiedziała: „Jesteśmy na gdańskiej drodze". Na jezdni było nadal prawie pusto, więc mama jechała szybko. Otworzyłem chipsy i myślałem sobie o tych grach na iPhonie, ale jeszcze w nie nie grałem, bo mi było trochę szkoda rozgryźć je za szybko. Myślałem też o moich ciemnych okularach, bo to były moje pierwsze dorosłe ciemne okulary, no i myślałem też o tych dwóch rozpoczynających się tygodniach w domku nad jeziorem z mamą. Nie zobaczyłem, co się stało, bo akurat kilka sekund wcześniej postanowiłem jednak trochę, troszeczkę pograć, żeby zorientować się, o co chodzi w tych nowych grach. Nie patrzyłem na drogę, tylko na ekranik iPhone'a. Mama zapytała:

– Nie gulgota ci?

Kiedy byłem bardzo mały, często chorowałem w samochodzie i kiedy robiło mi się niedobrze, wołałem do niej, że mi gulgota. Ale to było strasznie dawno temu, ze cztery lata jak nic. Już wcale nie choruję w aucie.

– Nie, no coś ty? – odpowiedziałem, nie odrywając nosa od iPhone'a.

– Pamiętaj, jak ci będzie źle, to mi powiedz – mama dodała gazu i wgniotło mnie trochę mocniej w kanapę.

— Dobra — mruknąłem.

A zaraz potem świat przewrócił się do góry nogami w potwornie głośnym trzasku. Trwał nie dłużej niż mrugnięcie — najpierw siedziałem sobie z tyłu i ustawiałem wieżowiec w Tower Bloxxie, a potem — w ułamku sekundy — wisiałem w pasach bezpieczeństwa, przechylony na bok, a moja głowa opierała się na trawie. Pod czaszką brzęczało mi dziwnie i miałem wrażenie, jakby mi ktoś powpychał do uszu pierogi. To głupio brzmi, ale dokładnie pamiętam tę myśl — „Czuję, jakbym miał pierogi w uszach". Coś było nie w porządku z fotelem pasażera przede mną — stał krzywo, w dodaku skórzana tapicerka pękła, a z oparcia wyłaziła gąbka i kłęby poszarpanych nitek. Kątem oka zauważyłem, że coś rusza się w trawie obok mojego czoła. Obróciłem lekko głowę i zobaczyłem tuż obok siebie dużą, niebieskawą ważkę. Miała połamane skrzydełka, ale chyba jeszcze się nie zorientowała, bo próbowała latać. To ona tak bzyczała, a nie moja głowa... Wcale nie rozumiałem, co się stało, i nawet nie popatrzyłem w stronę mamy, tylko na tę trawę przy mojej głowie, bo wydawało mi się strasznie dziwne, że trawa nagle znalazła się za oknem samochodu i w jego środku. Szczególnie że przecież okno jeszcze przed chwilą było zamknięte. Dopiero potem domyśliłem się, że nasz samochód wypadł z drogi i przewrócił się na bok. Zupełnie nic mnie nie bolało — nic a nic. Oczywiście wtedy, bo zaczęło później, w szpitalu. Usiłowałem przyjrzeć się ważce przy moim uchu, była ogromna. Odgiąłem głowę, która wydawała mi się niezwykle ciężka, i spróbowałem ją mocniej obrócić. „Pięćset metrów prosto" — powiedziała pani z GPS-u.

I wszystko zgasło.

Nazywam się Łukasz Borski, mam dwanaście lat. Urodziłem się w Warszawie, a teraz mieszkam w Brzegu – niewielkiej miejscowości nad morzem, blisko Kamienia. Mam jednak nadzieję, że nie potrwa to już długo i albo wrócę do mojego warszawskiego domu, albo nic już nie będzie miało znaczenia. Wszystko zależy od tego, czy uda nam się znaleźć sposób na Krwawca zaczajonego w jego srebrnym świecie za niebieskimi drzwiami pokoju nr 18 na pierwszym piętrze pensjonatu „Wysoki Klif" przy ulicy Piaskowej 3 w Brzegu i uwolnić ciotkę Agatę. A nawet nie tyle nam – choć Pchełka, Monika i Zgryz mi pomagają – ile mnie samemu. Bo to ja umożliwiłem Krwawcowi przedostanie się do naszego świata i to przede wszystkim ja muszę się z nim zmierzyć. A czasu zostało już bardzo mało...

Jeśli jednak nie uda się nam, może uda się komuś z was, komuś, kto przeczyta tę historię opowiadającą o kilku tygodniach dziwnej, szarej jesieni i wydarzeniach, które miały miejsce w niewielkim, sennym nadmorskim miasteczku tuż po sezonie. A przede wszystkim – pamiętajcie! – nigdy nie pukajcie do drzwi zbyt długo! Bo nawet jeśli okaże się, że nie ma za nimi nikogo, to jednak ktoś może wam otworzyć. A wtedy to, co za tymi zwykłymi drzwiami znajdziecie, na pewno zwykłe nie będzie i może wcale nie przypaść wam do gustu.

Ale może lepiej opowiem wszystko po kolei...

Mieliśmy wypadek. Drugi samochód wyjechał nieoczekiwanie na drogę, mama próbowała go ominąć, ale jej się nie udało. Zawadziła o to drugie auto, tak ciut, ciut, ale to wystarczyło, bo jechała bardzo szybko, chociaż zgodnie z przepisami. Nasze audi obróciło się na drodze, przekoziołkowało i spadło z drogi. Może nic by się nie stało, gdyby obok niej było pole, ale akurat tam nie było pola, tylko łączka z drzewem, w które uderzyliśmy. Próbowałem to sobie potem rysować, tę sytuację na drodze — skąd wyjechał drugi samochód, gdzie stało drzewo i tak dalej. Pewnie zupełnie bez sensu o tym tyle rozmyślać, ale to silniejsze ode mnie. Bo wystarczyłaby jedna, jedyna sekunda, żeby to się nie stało. Gdyby drugie auto nie wyjechało na drogę. Gdyby moja mama jechała trochę wolniej. Gdyby nie rosło tam drzewo. Gdybyśmy wyjechali sekundę później lub wcześniej. Gdybyśmy mieli jechać na wakacje nie do domku nad jeziorem, tylko w góry albo nad morze. Gdyby mama nie dostała urlopu. Gdyby, gdyby, gdyby... Rozumiecie? To była piramida elementów, zupełnie jak wieża z klocków lego — wystarczyłoby, żeby zabrakło jednego w podstawie, a całość by się rozsypała. W sumie, kiedy o tym rozmyślam, tak naprawdę na to, żeby nic się nie stało, była dużo większa szansa niż na to, że wypadek się wydarzy. Nie da się o tym nie myśleć.

Ale sam wypadek nie był wcale taki straszny. Najgorsze było to, co działo się później.

Pierwszych kilka tygodni spędziłem w jednym szpitalu, kolejne pół roku w drugim. Nikt mi nie mówił, co się dzieje z mamą — dowiedziałem się tylko, że jest w innym szpitalu niż ja i że jej stan jest bardzo zły. Co to znaczyło? Nie mogłem się dowiedzieć. Leżałem unieruchomiony w dużym, metalowym łóżku z różnymi linkami i ciężarkami, do których były przywiązane moje nogi. Nie mogłem chodzić i miałem operację. Tej pierwszej nie pamiętam, bo kiedy obudziłem się w szpitalu, było już po niej. Ale potem były następne dwie. Lekarze wypytywali mnie o ojca, o dziadków, o jakąś rodzinę, ale my nie mieliśmy żadnych krewnych. Wiedziałem tylko, że mama mojej mamy, czyli moja babcia, umarła zaraz po tym, gdy się urodziłem, a dziadek jeszcze wcześniej. Na początku w szpitalu odwiedzali mnie moi kumple ze szkoły. Piotrek, Krzysiek i Przemek. Raz przyszła też Dagmara, z którą siedziałem na angielskim. Później przychodził już tylko Krzysiek, ale po kilku miesiącach i on przestał mnie odwiedzać. Raz w tygodniu przychodziła regularnie tylko nasza sąsiadka z piętra, pani Cybulska, na którą mama mówiła Cebulka — oczywiście tylko wtedy, gdy tamta nie słyszała — i która czasami opiekowała się mną wieczorami, kiedy mama musiała wyjść na jakieś zawodowe spotkanie. Pani Cybulska popłakiwała przy moim łóżku i przynosiła mi kompoty, chociaż akurat kompoty w szpitalu dawali, i to całkiem niezłe. Wolałbym marsa albo snickersa, ale na to nie wpadła, a mnie głupio było poprosić. Dopiero podczas trzeciej wizyty powiedziała mi, że mama przez ten nasz wypadek zasnęła i nie może się obudzić. Zupełnie nie mieściło mi się to w głowie, bo jak można spać tak mocno, żeby się nie budzić, kiedy ktoś potrząsa cię za ramię i krzyczy nad uchem? Wydawało mi się, że po prostu lekarze nie potrafią potrząsnąć nią odpowiednio mocno. Bardzo się denerwowałem tym wszystkim, a w dodatku ciągle bolały mnie nogi i plecy i bardzo dużo płakałem. Wiem, że jestem już za duży na takie mazgajstwo, ale nie mogłem nic na to poradzić, bo ciągle chciało mi się płakać.

Trwało to bardzo długo, tak przynajmniej mi się wydawało. Po prostu dni się ciągnęły jak guma do żucia. Po paru miesiącach dostałem wózek inwalidzki, którym mogłem jeździć po korytarzu szpitala, a potem zaczęły się zajęcia fizjoterapeutyczne. Moje nogi zrobiły się strasznie cienkie od tego ciągłego leżenia i musiałem od nowa nauczyć się na nich chodzić. Nie było to wcale proste i bardzo bolało — okazało się, że po operacji moja lewa noga jest krótsza niż prawa, a w dodatku lewe kolano prawie przestało mi się zginać — moje obie nogi zostały połamane podczas wypadku przez fotel pasażera, który siła uderzenia oderwała od podłogi audi, i trudno było je poskładać. Sztywne kolano nie przeszkadzało mi jednak aż tak bardzo jak prąd w środku. Pewnie nie wiecie, o co chodzi z tym prądem. Kolano ciągle mnie bolało, zupełnie jakby w środku iskrzył prąd — raz mocniej, raz słabiej. Nie znikał ani na chwilę. Tak więc to sobie zacząłem wyobrażać — jakby moje kolano było pełne pozrywanych kabli pozbawionych izolacji. Przeskakują między nimi iskry, robią się spięcia, a kiedy nierozważnie nimi poruszę — wyzwala się piorun. Nie wiem, skąd mi to przyszło do głowy, ale tak odczuwałem ból już w szpitalu. Nawet opowiadałem o tym mojemu lekarzowi. Mówił mi, że pacjenci często wyobrażają sobie podobne rzeczy. Dzięki temu łatwiej im uporać się z bólem, łatwiej nad nim zapanować, bo zaczyna rządzić nim logika. Nie wiem, jak wygląda moje kolano w środku, jak wyglądają połączenia nerwowe i tak dalej. Nie wiem więc, dlaczego mnie boli i co mnie boli dokładnie. Ale jeśli wyobrażam sobie ból jak prąd elektryczny, a nerwy jak wiązki kabli, mniej się boję, bo wiem przecież, jak działa prąd i co powoduje spięcia, wiem mniej więcej, jak długo mogą trwać i jakie przynoszą skutki. Zresztą lekarz powiedział, że w pewnym sensie takie porównanie jest słuszne, bo za przekazywanie bólu do mózgu też odpowiadają impulsy elektryczne. Podobna dziewczynka, którą leczył jakiś czas temu, wyobrażała sobie ból jak wiatr — kiedy bardzo ją bolało, to była wichura, a kiedy mniej, tylko lekki wietrzyk. Zupełnie to do mnie nie przemówiło — w końcu kolano jest za małe, żeby mógł w nim wiać wiatr.

No więc, bolało. Ale ćwiczyłem tak, jak mi kazali, i przestałem tyle płakać, bo wiedziałem, że im szybciej znowu nauczę się chodzić, tym szybciej będę mógł pójść zobaczyć mamę i wreszcie ją obudzić.

Dziwiłem się tylko, że lekarze nie chcą wyhodować mi nowej nogi, wiecie, przez klonowanie. Bardzo lubię filmy i książki, w których pokazuje się, jak działa inżynieria genetyczna. W ogóle postanowiłem, że kiedy dorosnę, zostanę genetykiem i będę tworzył różne niesamowite istoty, na przykład latające żyrafy albo żółwie biegające szybciej od geparda. No i oczywiście będę pracował nad tym, żeby ludzie nie chorowali i nie robili się coraz starsi, bo to wszystko zależy od genów. Więc skoro w telewizji pokazują tyle filmów i programów o genetycznie zmodyfikowanych ludziach, zwierzętach i roślinach, dlaczego lekarze nie zrobią mi nowej nogi? To wydaje się proste, na pewno prostsze od sklonowania dinozaurów w „Parku Jurajskim" — noga jest przecież znacznie mniejsza od takiego tyranozaura na przykład. Oczywiście proponowałem coś takiego w szpitalu, ale nikt mnie nie słuchał.

Minęły święta Bożego Narodzenia, potem sylwester. Zaczęły się ferie zimowe, ale pierwszy raz w życiu nie miały dla mnie żadnego znaczenia, bo przecież i tak nie chodziłem do szkoły. Uczyłem się w łóżku, a pani, która przychodziła do mnie prawie codziennie na kilka godzin, odpytywała mnie i zadawała lekcje. Kiedy śnieg stopniał, a na gałęziach drzew za oknami szpitalnego pokoju pojawiły się pierwsze liście, potrafiłem już przejść o kulach niewielki kawałek korytarza i zaczęło mi się poprawiać — tak przynajmniej mówili lekarze, chociaż ja wcale tego nie czułem, bo nogi i plecy bolały mnie prawie tak samo jak wcześniej. Mama cały czas spała.

W końcu czerwca zostałem wypisany ze szpitala. Odebrała mnie Cebulka, która przyszła po mnie i przyniosła mi ubranie z naszego mieszkania, do którego miała zapasowy klucz. Tyle tylko, że przez te dziesięć miesięcy wyrosłem ze swoich starych ubrań, bo chociaż przez większość tego czasu leżałem, to jednak okazało się, że i tak rosłem. Spodnie były przykrótkie, rękawy bluzy też. Udało mi się jednak jakoś je założyć, wziąłem kule i wyszedłem razem z Cebulką na ulicę przed szpital. Czekała na nas taksówka, a Cebulka cały czas popłakiwała, co mnie denerwowało, bo sam bardzo starałem się nie rozpłakać, a to o wiele trudniejsze, kiedy ktoś akurat w takim momencie płacze przy tobie. Jednak oczywiście nie dawałem poznać po sobie, że jestem trochę zły na Cebulkę — w końcu tylko ona jedna przychodziła do szpitala, zechciała się mną zaopiekować i naprawdę bardzo się martwiła o mamę i o mnie. Próbowałem więc się do niej uśmiechać, żeby ją pocieszyć i uspokoić, ale Cebulka płakała przez to jeszcze mocniej, więc przestałem. Otworzyła przede mną tylne drzwi taksówki, żebym wsiadł. Stałem przez chwilę jak kołek i gapiłem się na auto, a żołądek zwinął mi się w lodowatą kulkę. Wcześniej zupełnie się nie zastanawiałem nad tym, jak to będzie wsiąść znowu do samochodu, a wtedy, na chodniku przed szpitalem przez moment pomyślałem, że nie dam rady. Że to strasznie niebezpieczne. Na samą myśl, że mam znowu dać się zamknąć w takiej rozpędzonej, metalowej puszce, oblał mnie zimny pot. Ale uświadomiłem sobie też, że nie mam innej możliwości, że nie mogę przecież do końca życia chodzić wszędzie na piechotę, szczególnie teraz, gdy po wypadku chodzenie nie bardzo mi idzie. Czy można powiedzieć, że chodzenie mi nie idzie? Nie jestem pewny, ale co tam — na pewno wiecie, o co mi chodzi.

No więc, pomyślałem sobie, że niech się dzieje, co chce, i wsiadłem do taksówki, chociaż serce mi się tłukło i miałem zupełnie sucho w ustach ze zdenerwowania. Cebulka też wsiadła. Kiedy zamknęła za sobą drzwi, powiedziała kierowcy, żeby zawiózł nas do domu, ale zaparłem się jak osioł, że nie ma mowy, bo koniecznie muszę najpierw pojechać do szpitala mamy i ją zobaczyć. No i obudzić oczywiście, ale tego nie powiedziałem głośno. Cebulka mamrotała pod nosem: „ojejku, ojejkujejku", ale w końcu się zgodziła, bo wiedziała, że gdyby się nie zgodziła, wysiadłbym z tej taksówki i pokuśtykał do mamy na piechotę. Pojechaliśmy.

Moja mama nie obudziła się, chociaż mówiłem do niej bardzo długo i trzymałem ją za rękę. Leżała na poduszkach szpitalnego łóżka, a jej twarz była niemal równie biała jak pościel. Odrosły jej włosy, które wcześniej farbowała na jasny blond, i dopiero teraz przekonałem się, jak wiele z nich jest siwych. Nie miała makijażu, do nosa podłączono jej jakieś rurki. Wydała mi się znacznie mniejsza i chudsza. I chociaż obiecywałem sobie, że nie będę płakał, to jednak nie dałem rady. Cebulka też płakała przez cały czas i przytuliła mnie mocno, ale już nie czułem złości z tego powodu. Przyszedł lekarz, który miał bardzo strapioną minę, i powiedział, że nie wiadomo, jak długo mama będzie spała, że nie wiadomo, czy kiedyś się obudzi, a przede wszystkim — że w ogóle nie wiadomo, dlaczego śpi. To zupełnie nie mieściło mi się w głowie, bo przecież był lekarzem ze szpitala — kto inny może wiedzieć lepiej, jak naprawić człowieka, kiedy się zepsuje i nie działa?

Wróciliśmy do domu. Cebulka powiedziała mi, że będę mieszkał u niej, dopóki mama się nie obudzi. Mówiła też o pieniądzach mamy, o tym, że za nasze mieszkanie trzeba płacić raty kredytu do banku, ale niewiele z tego rozumiałem, bo mama nigdy nie wspominała o takich rzeczach. Zrozumiałem tylko, że jeśli mama nie obudzi się szybko, bank zabierze nasze mieszkanie i meble pewnie też, a już duży, płaski telewizor z salonu to na sto procent, bo za niego też trzeba płacić raty. Zamieszkałem więc u Cebulki, która w sumie jest w porządku, tyle tylko, że w jej mieszkaniu ciągle pachnie gotowaną kapustą, bo Cebulka ją uwielbia. Jeszcze nigdy nie spotkałem nikogo, kto by tak kochał gotowaną kapustę jak ona. Na mój rozum powinna być w jakiejś księdze światowych rekordów jako osoba, która zjadła w ciągu życia najwięcej gotowanej kapusty, mówię całkiem serio. Poza tym na wszystkich meblach w jej mieszkaniu leżą koronkowe serwetki i stoją wazoniki z plastikowymi kwiatkami.

Zupełnie nie wiedziałem, co będzie dalej. Gdybym miał jakąś rodzinę — mówiła Cebulka — to może ta rodzina mogłaby spłacać raty do banku za nasze mieszkanie, wziąć mnie do siebie, kupić mi książki do szkoły i nowe ubrania. Cebulka bardzo się martwiła tym wszystkim, bo jest na emeryturze i nie ma nawet tyle pieniędzy, żeby wystarczyło dla niej samej – pewnie dlatego je tyle gotowanej kapusty, bo kapusta jest strasznie tania. Ale ja nie miałem żadnej rodziny, więc też się martwiłem i postanowiłem polubić gotowaną kapustę.

Minął lipiec, mama nadal się nie budziła. Odwiedzałem ją tak często, jak to tylko było możliwe, bo lekarz powiedział, że bardzo możliwe, że osoby w śpiączce – takie jak mama – wcale nie śpią tak całkiem i mogą słyszeć, jeśli się do nich mówi. Więc mówiłem i mówiłem. Opowiadałem jej o Cebulce, o tym, jaka jest pogoda, co jadłem na obiad i kolację, nawet jeśli znowu była to tylko gotowana kapusta. Gadałem o wszystkim, co przyszło mi do głowy, ale mama nawet nie ruszyła brwią. Oddychała przez te wszystkie rurki, które z niej sterczały, monitor za łóżkiem popiskiwał i pokazywał różne wykresy, a z przezroczystego woreczka, podwieszonego na stojaku obok łóżka, prosto do ręki mamy płynęło przez kroplówkę jedzenie, picie i lekarstwa.

Zaraz po pierwszym sierpnia Cebulka przy kolacji, na którą dla odmiany zrobiła fasolkę szparagową z masłem i tartą bułką, całkiem niezłą, powiedziała mi, że jeśli mama nie obudzi się do końca miesiąca, to od września będę musiał iść do specjalnej szkoły, w której zamieszkam. Chociaż mówiła, że to tylko taka szkoła, łatwo domyśliłem się, że chodzi o dom dziecka. Nie byłem na nią zły, bo widziałem, że naprawdę ma za mało pieniędzy, żebym mógł z nią zostać. Więc nie płakałem przy niej ani nie prosiłem, żeby mnie tam nie oddawała, tylko jadłem tę fasolkę szparagową z masłem i myślałem sobie, że chociaż jest całkiem smaczna, to już nigdy w życiu nie będę mógł przełknąć fasolki szparagowej z masłem. A potem poszedłem się położyć.

I wtedy, kiedy myślałem, że nie może już być gorzej, wydarzyło się coś zupełnie nieoczekiwanego. Okazało się, że jednak mam jakąś rodzinę...

Była sobota, właśnie wróciłem ze szpitala od mamy, a Cebulka gotowała w kuchni kapustę na obiad. Po południu mieliśmy iść do naszego mieszkania, żeby przejrzeć moje ubrania i wybrać te, które zabiorę ze sobą do tej nowej „szkoły". Siedziałem na fotelu w pokoju i oglądałem jakiś głupawy film w telewizji, gdy ktoś zadzwonił do drzwi.

II

Ciotka Agata

– Ja otworzę! – wołam do Cebulki, bo staram się bardzo wykorzystywać każdą okazję, żeby ćwiczyć te moje chude nogi, nawet gdy bardzo mi się nie chce.

Biorę kule, wstaję z fotela i kuśtykam do przedpokoju. Kiedy kładę rękę na klamce drzwi wejściowych, dzwonek rozlega się ponownie – tak wyjątkowo natarczywy i głośny, że aż podskakuję w miejscu, przez co prąd iskrzy mocniej w tym moim lewym, sztywnym kolanie.

– Pali się czy co? – woła Cebulka z kuchni, a ja naciskam klamkę i otwieram drzwi.

Za nimi, na korytarzu stoi wysoka, szczupła kobieta. Ma gładko zaczesane do tyłu, nieco posiwiałe włosy, brązowy żakiet i letnią spódnicę z wielkimi kieszeniami, a na nogach jakieś przedpotopowe sznurowane półbuty. Przez chwilę przygląda mi się znad niewielkich, okrągłych okularków w drucianych oprawkach.

— Słucham? — pytam.
— Ty jesteś Łukasz? — odpowiada pytaniem.
— Tak.
— Łukasz Borski?
— Tak, ale nie rozumiem...
— Nazywam się Agata Borska — przerywa mi. — Spakuj się i ubierz. Pojedziesz ze mną.
— Ale... Ale... — zaczynam się jąkać. — Dokąd mam pojechać? Dlaczego?
— Jestem twoją ciotką. Pojedziesz ze mną do mnie. Do Brzegu.
— Ciotką? Ja nie mam żadnej ciotki — mamroczę, wciąż stojąc w uchylonych drzwiach.
Kobieta pociąga nosem, odpycha mnie lekko i wchodzi do mieszkania Cebulki.
— A jednak masz — odzywa się. — Pospiesz się, mamy powrotny pociąg o osiemnastej trzydzieści.
Cebulka staje na progu kuchni, wycierając ręce w ścierkę, i okrągłymi jak spodki oczami patrzy na nieznajomą kobietę.
— Przepraszam — mówi do niej — czy mogłaby pani wyjaśnić, o co...
— Mogłabym — wzdycha kobieta w brązowej marynarce i spoglądając na mnie, dodaje niecierpliwym tonem: — Mówiłam, żebyś się pospieszył!
A potem razem z Cebulką zamykają się w kuchni i długo o czymś rozmawiają przyciszonymi głosami. Zaczynam się pakować. Potem ciotka razem z Cebulką idą do naszego mieszkania.
— Przyślę firmę po rzeczy i skontaktuję się z bankiem — słyszę, jak ciotka mówi do Cebulki, gdy wychodzą na

korytarz. — To nie powinno zająć więcej niż dwa tygodnie, myślę, że od września będzie wolne.

— Ale ona...

— Rozmawiałam z lekarzami, niczego nie potrafią powiedzieć na pewno. Równie dobrze może obudzić się jutro, jak i za rok. A równie dobrze nigdy...

Zamykają drzwi za sobą, a ja zakładam bluzę, zanoszę swoją torbę i plecak do przedpokoju, a potem siadam na krześle obok wieszaka. Serce bije mi bardzo mocno i mam spocone dłonie.

Godzinę później siedzę z tą obcą, dziwną kobietą w pociągu jadącym na drugi koniec kraju. Nawet nie zdążyłem pożegnać się z mamą.

— Mentosa? — pyta kobieta, wyjmując z ogromnej torby cukierki i wyciągając je w moją stronę.

Torba jest okropnie brzydka, moim zdaniem, i niewiele różni się od torby, w której przynosi listy nasz listonosz — tyle tylko, że jest brązowa, a nie czarna.

— Nie, dziękuję — odpowiadam, zerkając w jej stronę.

— To nie — kobieta wzrusza ramionami, wkłada sobie pastylkę do ust i chowa cukierki do torby.

Wyjmuje z niej jakąś książkę, której okładka jest obłożona w szary papier do pakowania paczek, otwiera ją i zaczyna czytać. Przyglądam jej się nadal ukradkiem. Nagle patrzy na mnie znad okularów i łapie moje spojrzenie.

— Mama nigdy mi nie mówiła, że mam ciotkę — odzywam się do niej.

— Wyobrażam sobie — odpowiada kobieta.

— To znaczy, że jest pani jej siostrą?

— Nie da się ukryć.

— Dlaczego nigdy nie mówiła, że ma siostrę? — pytam.

— Najwidoczniej nie miała ochoty.

— Ale przecież jeśli się ma rodzeństwo, to się o tym mówi! — prawie wykrzykuję. — To jakby ważna rzecz!

— Jakby tak. Nie krzycz.

— Więc dlaczego mi nie powiedziała?!

— Powiedziałam ci, żebyś nie podnosił głosu — kobieta spokojnie odkłada książkę na składany stoliczek pod oknem i splata ręce na torebce. — Teraz już wiesz.

— Wiem, ale nie od niej... Jak mam do pani mówić?

— Jak chcesz. Wszyscy mówią do mnie Agata. Możesz więc mówić Agata albo, nie wiem... Ciociu?

— A jak mama do pani mówiła? — pytam chytrze, licząc, że zacznie się plątać i kłamstwo wyjdzie na jaw.

Nie wierzę w to, że jest siostrą mamy! Gdyby moja mama miała siostrę, na pewno by mi powiedziała, na pewno. Ta kobieta dowiedziała się o tym, co się stało, i porwała mnie, żeby... Żeby co? Nie wiem, ale na pewno ma swój cel! Nasze mieszkanie... Nie, mieszkanie właściwie nie jest nasze. Należy do banku. Pieniądze? Okazało się, że prawie ich nie mamy. Moje playstation i laptop, nawet iPhone przepadły w wypadku. Czego może więc chcieć?

— Mówiła do mnie Agata — odpowiada z westchnieniem kobieta. — A jak miała mówić? Tak mam na imię.

— Ale... Nie wierzę w to! Nie wierzę, żeby moja mama nie wspomniała mi nigdy choćby słowem o tym, że mam ciotkę! Mówiła mi o wszystkim.

— Och, zaręczam ci... — zaczyna kobieta z uśmiechem, ale przerywa nagle, wzdycha znowu i otwiera torebkę.

Szuka w niej czegoś przez długą chwilę, wreszcie wyjmuje żółtawą, postrzępioną na rogach kopertę i wyciąga ją w moją stronę.

— Co to jest?

— Zdjęcia — odpowiada kobieta.

— Jakie zdjęcia? — pytam złym głosem.

— Sam zobacz.

Po krótkiej chwili sięgam po kopertę. W środku jest kilkanaście czarno-białych fotografii. Na pewno nie zrobiono ich cyfrówką, bo są kiepskie — nieostre i ziarniste. Prawie na wszystkich jest moja mama, tyle tylko, że inna niż mama, którą znam. Znacznie młodsza i trochę smutniejsza. Prawie na żadnym zdjęciu się nie uśmiecha. Na kilku fotografiach jest razem z tą całą Agatą, która wygląda prawie identycznie jak teraz, tylko nie ma siwych włosów. Stoją na wydmie, za nimi widać morze. Na innym zdjęciu są w ogrodzie, mama siedzi na drewnianej huśtawce, Agata stoi obok. Na kolejnym zdjęciu jest z nimi jakaś starsza pani.

— A to? — pytam, pokazując zdjęcie.

— To twoja babcia.

Babcia? Przyglądam się starszej, obcej kobiecie. Więc to jest moja babcia. Ma surowe spojrzenie, zaciśnięte usta i niezbyt zadowolony wyraz twarzy.

— Nigdy nie lubiła się fotografować — wyjaśnia ciotka Agata, zupełnie jakby czytała w moich myślach. — Uważała, że jest niefotogeniczna.

— A dziadek?

— Co dziadek?

— No, czy jest jakieś zdjęcie dziadka?

— Gdzieś powinno... Daj.

Agata zabiera mi zdjęcia i przegląda je szybko. Wreszcie wyjmuje jedno i pokazuje.

— Tutaj masz. To chyba były jakieś święta.

Zdjęcie zrobiono w jakimś bardzo dużym pokoju. Za długim, ciemnym stołem siedzą dwie poważne dziewczynki w białych sukienkach i białych kokardach na warkoczach. Między nimi siedzi szczupły mężczyzna, ma gęste, ciemne włosy. Nie widać wyraźnie jego twarzy, bo musiał pochylić głowę akurat w momencie, gdy było robione zdjęcie.

— To ja — ciotka pokazuje palcem jedną z dziewczynek, potem wskazuje na drugą i mówi: — A to twoja mama.

— Mama miała warkocze?!

— Obie miałyśmy. Taka była moda.

— A kiedy to było?

— Nie mam pojęcia, pewnie w siedemdziesiątym piątym albo szóstym.

— Nie widać go za dobrze, ruszył głową. A kto robił zdjęcie?

— Mama. To znaczy twoja babcia.

— Bardzo duży pokój — mówię, przyglądając się z uwagą zdjęciu.

— Nadal taki jest. Prawie nic się nie zmieniło.

— To u was w domu?

— Tak. W „Wysokim Klifie".

— Jak to w klifie?

— Tak się nazywa nasz pensjonat. „Wysoki Klif".

— To pani... ciocia... masz pensjonat? Znaczy się, hotel? Prawdziwy?

— My mamy — odpowiada ciotka. — Połowa należy do twojej mamy. Więc też i trochę do ciebie.

— Mama nigdy mi nie mówiła... — zaczynam, ale urywam, bo dociera do mnie, że mama nie mówiła mi o bardzo wielu rzeczach.

Mamy pensjonat nad morzem? Dlaczego więc tam nie mieszkamy? Przecież to o całe niebo fajniejsze od mieszkania w kamienicy, a prowadzenie takiego pensjonatu na pewno jest przyjemniejsze niż praca w wydawnictwie, w którym mama spędzała czasami po dziesięć albo dwanaście godzin dziennie! Nic nie rozumiem.

— Duży? — pytam. — Ten cały „Klif"?

— Dość duży. Mamy trzydzieści osiem pokoi w głównym budynku i jeszcze cztery w pawilonie z tyłu.

— I sama go prowadzisz... ciociu?

— W sezonie są pracownicy. Do Brzegu prawie nikt nie przyjeżdża poza sezonem, więc zatrudniam ich tylko na trzy miesiące — od czerwca do końca sierpnia.

— A potem, zimą? Mieszkasz sama w takim wielgaśkim domu?

— Do tej pory mieszkałam sama. Ale teraz już nie... — po raz pierwszy ciotka uśmiecha się lekko.

I wtedy, kiedy na jej twarzy pojawia się uśmiech, nagle widzę podobieństwo. Widzę, jak bardzo jest podobna do mojej mamy. Uśmiech mają niemal identyczny. Robi mi się nieswojo i podejrzanie zaczynają piec mnie oczy. Szybko odwracam wzrok i spoglądam na fotografie.

— Na razie — zaznaczam. — Dopóki mama się nie obudzi, bo wtedy mnie zabierze.

— Dopóki mama się nie obudzi — kiwa głową ciotka, a uśmiech znika z jej twarzy.

Zamyka oczy i odchyla głowę, opierając ją o wezgłówek fotela. Za oknem szybko przesuwają się drogi, łąki, drzewa i słupy wysokiego napięcia. Czerwone słońce wisi nisko nad horyzontem, czuję na twarzy jego ciepło. Dotykam czołem szyby, przytrzymując na kolanach plik fotografii, i staram się nie przesuwać wzroku – umykające łąki zmieniają się w zieloną smugę, od której zaczyna mi się kręcić w głowie.

Gdy wysiadamy na stacji kolejowej, jest już zupełnie ciemno. Przechodzimy przez wąski peron, potem przez maleńki budyneczek dworca, w którym jest tylko jedno okienko kasowe i kiosk – zamknięty teraz szarą, metalową roletą. Przed dworcem jest nieduży placyk z klombem. Rosną jakieś kwiaty, a na środku stoi metalowa rzeźba, z której płatami obłazi farba.

– Chodź – ponagla mnie ciotka.

Poprawiam plecak, chwytam mocniej kulę i kuśtykam za nią. Przechodzimy przez placyk, ciotka otwiera drzwi zaparkowanej przy krawężniku beżowej furgonetki, która na pewno jest starsza ode mnie. Karoserię ma upstrzoną plamami rdzy i pogięte zderzaki. Z boku naklejono napis z ciemnej folii: „NIEZAPOMNIANE AKACJE NA WYSOKIM KLIFIE", a pod spodem adres, mniejszymi literami.

– Nie ma wu w wakacjach – mówię do ciotki.

– Wiem, odkleiło się. Dasz radę wsiąść? – pyta. – Jest dosyć wysoko.

– Poradzę sobie – odpowiadam i wchodzę do środka. W furgonetce pachnie proszkiem do prania i środkami odkażającymi. Właściwie nie jest to brzydki zapach, tylko trochę kojarzy mi się ze szpitalem. Siedzenia pokryte czarnym skajem są popękane, ale czyste. Tak samo jak wytarte, gumowe wycieraczki pod nogami. Nagle przychodzi mi do głowy, że pensjonat ciotki wcale może nie być taką żyłą złota, jak mi się wydawało. Drzwi z mojej strony nie chcą się domknąć, ciotka przechyla się przez siedzenie i przyciąga je mocnym szarpnięciem, a potem przekręca kluczyk w stacyjce. Silnik niechętnie zaskakuje po chwili. Furgonetka, trzęsąc się i klekocząc, toczy się pustą ulicą.

— Daleko? — pytam.

— Kawałek. W Brzegu nie ma dworca. To znaczy dworzec jest, ale pociągi już do nas nie dojeżdżają. W starym budynku dworca zrobili smażalnię, oczywiście działa w sezonie, przez resztę roku jest zamknięta. Teraz można dojechać do nas tylko autobusem. Albo samochodem — wyjaśnia ciotka.

Wysoko na niebie migoczą gwiazdy i świeci niemal idealnie okrągły księżyc. Niebo jest bezchmurne. Przejeżdżamy przez puste, ciemne miasteczko. Mijamy ostatnie domy, a po chwili księżyc znika w koronach drzew rosnących po obu stronach drogi. W świetle reflektorów furgonetki wygląda to tak, jakbyśmy jechali długim tunelem z kolumnami po bokach. Gałęzie drzew stykają się nad drogą, niemal dotykając dachu wozu. Droga wspina się lekko w górę, dojeżdżamy do zakrętu. Nagle drzewa rozstępują się i wjeżdżamy na odsłonięte wzniesienie. Przyciskam twarz do szyby, bo z mojej strony, w dole pod nami widzę bezkresną powierzchnię wody. Księżyc odbija się w falach, zupełnie jakby ktoś rozsypał na nich kawałki fosforyzującej folii albo brokatu.

— Morze — mówię.

Silnik furgonetki terkocze miarowo, ciemne fale przesuwają się w dole. Kładę głowę na oparciu i przymykam na chwilę oczy.

Otwieram je, gdy nagle samochód staje. Przez krótką chwilę nie wiem, gdzie jestem. Zasnąłem.

— Dojechaliśmy — mówi ciotka, wyjmując kluczyk ze stacyjki, i wskazuje ręką przednią szybę auta. — Witaj na wysokim klifie.

Pochylam się i wyglądam na zewnątrz, szeroko otwierając usta ze zdumienia. „Wysoki Klif" nie tylko jest wysoki. Jest ogromny, a w dodatku wygląda zupełnie inaczej, niż go sobie wyobrażałem.

Wysiadam z furgonetki i opierając się na kuli, przystaję przed budynkiem. Chociaż jest środek nocy, księżyc oświetla go dokładnie. Wydawało mi się, że „Wysoki Klif" będzie zwyczajny domem, ewentualnie podobnym może do ośrodka, w którym byłem na koloniach dwa lata temu. To były okropne kolonie, ciągle padało. Spaliśmy w małych domkach na tyłach głównego budynku, a oprócz nas mieszkały w nich wielkie stonogi. Było ich zatrzęsienie. Pensjonat ciotki w niczym nie przypomina tamtego ośrodka. Właściwie jest to pałacyk, częściowo zbudowany z czerwonej cegły, a częściowo z potężnych kamieni. Mury pocięte ciemnymi belkami, miejscami porośnięte przez jakieś pnące rośliny, wznoszą się na wysokość drugiego piętra, a nad nimi zaczynają się połamane, spadziste dachy. Z jednej strony pensjonat ma nawet coś w rodzaju całkiem sporej wieżyczki. Przyglądam się pogrążonemu w ciemnościach domowi przez długą chwilę.

— Chodź — mówi ciotka. — Jeszcze się napatrzysz.

— Przecież to zamek! — udaje mi się wykrztusić.

— E tam, zamek. Zwyczajny poniemiecki dom. Pełno tu takich — ciotka wzrusza ramionami.

— Ale jest ogromny!

— Dość duży. Ale w środku nie taki wielki, jak wydaje się z zewnątrz.

— A dlaczego nazywa się „Wysoki Klif"? — pytam.

— Jeśli się odwrócisz, to będziesz wiedział.

Obracam się na pięcie i głośno wciągam powietrze z zaskoczenia. Mały parking przed pensjonatem przylega do ulicy, a po jej drugiej stronie, za metalową barierką otwiera się pustka. Dopiero po chwili dostrzegam słabe migotanie księżyca odbijającego się w morskich falach gdzieś daleko.

— Idziemy — ponagla mnie ciotka. — Zrobię ci kolację.

— Nie jestem głodny. Rzeczywiście tu jest wysoko.

— Owszem.

— Super to wygląda.

— Tak, przyjezdnym może się podobać. Ale ten klif to przekleństwo.

— Dlaczego?

— Dlatego, że co roku morze zabiera kawałek lądu. Fale podmywają urwisko i żadne umocnienia nie pomagają, bo to nie jest lita skała. Kiedy byłam mała, po drugiej stronie drogi rosły drzewa, a do brzegu klifu było kilkadziesiąt metrów. Teraz jest ich zaledwie kilka. W końcu i droga, i pensjonat znikną w falach.

— Kiedy? — pytam zafascynowany. — Jeszcze w tym miesiącu? Będę mógł to zobaczyć?

— Nie bądź głupi — prycha ciotka. — To się nie dzieje aż tak szybko. Za mojego życia do tego nie dojdzie, ale może za twojego... Kto wie.

Milczę przez chwilę, wysuwając dolną wargę. Naburmuszam się, tak mówiła mama, kiedy robiłem taką minę. Ale oczywiście nie chodzi mi o to, że pensjonat nie wpadnie do morza w tym miesiącu, tylko o uwagę ciotki, że mam „nie być głupi". Nie jestem głupi, a ona nie ma prawa mówić do mnie w ten sposób! Po chwili wzruszam ramionami. W końcu przyjechałem tu tylko na trochę, co mnie to obchodzi, co ona mówi? Będę tu tylko tak długo, jak długo będzie spała mama. Równie dobrze mogę wyjechać już pojutrze. Rano zadzwonię do szpitala.

— Nie ma plaży? — pytam po chwili.

— Nie, dlaczego? Jest na dole. Kawałek dalej są schody.

— Och, schody... — mówię zawiedziony, bo bardzo chętnie wybrałbym się na plażę.

Do tej pory byłem nad morzem tylko raz. Miałem wtedy siedem lat. Pojechaliśmy z mamą na długi weekend majowy do Sopotu i było wspaniale, chociaż trochę padało. Ale za to mama cały czas spędzała ze mną i ani razu nie zadzwoniła do swoich szefów z wydawnictwa. Długo chodziliśmy po plaży w kurtkach przeciwdeszczowych, zbieraliśmy kamyki i muszle, a wieczorem mama czytała mi książkę i grała ze mną w statki.

— Długie te schody?

— Raczej długie. I dość strome. Ale dlaczego... A, no tak — ciotka poklepuje mnie po ramieniu.

Dociera do niej, że na razie dla mnie zbyt długie i zbyt strome schody są nie do przebycia. Na razie. Ale to tylko kwestia czasu. Zaciskam mocniej zęby, odwracam się i kuśtykam w stronę wejścia do „Wysokiego Klifu".

— I nie jestem głupi — rzucam przez ramię w stronę ciotki, ale nic na to nie mówi.

Mija mnie, niosąc moją torbę, wchodzi po kilku schodkach na kamienny ganek pod stromym daszkiem i wyjmuje z torebki klucze.

— Frontowych drzwi używam tylko w sezonie — wyjaśnia, kiedy powoli pokonuję stopnie. — Potem będziemy wchodzili i wychodzili przez ogród.

— Okej — staję obok niej i staram się nie oddychać zbyt głośno, bo ganek jest wysoki i trochę się zmęczyłem.

— Tam też są schody, ale mniej — ciotka wybiera z pęku kluczy jeden.

Przez ułamek sekundy widzę go dokładnie w świetle księżyca. Jest duży i staroświecki, z uchwytem w kształcie wachlarza. Ciotka wkłada go do zamka pod ogromną, mosiężną klamką, obraca dwukrotnie. Prawe skrzydło drzwi otwiera się cicho do środka. A pewny byłem, że te drzwi będą skrzypiały — wyglądają na skrzypiące.

— Chodź — ciotka znika w mrocznym wnętrzu.

Po kilku sekundach w przedpokoju rozbłyska światło lampy. Nabieram tchu, mocniej chwytam kulę i przechodzę przez próg „Wysokiego Klifu".

III

Niebieskie drzwi

Hol, słabo oświetlony niewielkim kinkietem z kryształkami umieszczonym na ścianie obok drzwi, wydaje mi się wielki i trochę ponury. Ściany mają piaskowoszary kolor, tynk jest nierówny. Po lewej stronie otwiera się przejście do jakiegoś pokoju, zaraz za nim jest lada recepcyjna z połyskującego, ciemnego drewna. Na wprost nas widać szerokie schody wiodące na piętro, a po prawej stronie — wejście do długiego korytarza. Zaglądam do niego i widzę, że po jednej i po drugiej stronie w ścianach są drzwi — na oko kilkanaście.

— Tam są pokoje. Na parterze jest dwanaście — półgłosem mówi ciotka.

— Aha. A dlaczego szepczesz? — pytam.

— Ludzie śpią.

— Ludzie?

— No, goście. Sezon prawie się kończy, ale mamy jeszcze parę rodzin. Chodź. Tylko nie hałasuj.

Ciotka przechodzi przez szerokie, podwójne drzwi po lewej stronie i zapala światło. Idę za nią, starając się nie stukać kulą w drewnianą podłogę.

— To pokój ze zdjęcia — stwierdzam.

— Tak. Jadalnia — ciotka stawia moją torbę obok długiego stołu i rozpina brązowy żakiet.

— Rzeczywiście niewiele się tu zmieniło.

Nigdy nie byłem w takim pokoju, podobne pomieszczenia widywałem tylko na filmach, i to raczej takich bardziej historycznych. Robi na mnie olbrzymie wrażenie, chociaż nawet w przyćmionym świetle żyrandola widać, że jest dosyć mocno zniszczony. Ściany do wysokości łokcia pokryte są ciemnym drewnem, a powyżej pomalowane na kremowo. Wiszą na nich jakieś stare obrazy i grafiki. Jest też sporo czarno-białych zdjęć oprawionych w ramki. Pod jedną ścianą, między wysokimi oknami stoi potężny kredens, który sam wygląda jak zamczysko z balkonami i wieżyczkami. Na drzwiach ma wyrzeźbione jelenie i owoce, a pośrodku, umieszczone za półkami, mętne lustro. Po drugiej stronie pokoju, na wprost kredensu jest ogromny, najprawdziwszy w świecie kominek. Na szerokiej półce nad nim stoi zegar i dwa wypchane lisy. Lisy są trochę wyleniałe i wyglądają na przestraszone. Wyżej wisi wielki obraz za szkłem. Podchodzę troszkę bliżej, żeby mu się przyjrzeć. Obraz jest stary, właściwie to chyba nie obraz, tylko kolorowy rysunek. Widać na nim dom, w którym jesteśmy, przed gankiem parkuje przedpotopowy, czarny samochód bez dachu, w którym z przodu siedzi szofer w ciemnej czapce, a na tylnych siedzeniach elegancka pani w kapeluszu i z parasolką, a obok niej pan w okrągłych okularach. Na ganku stoi roześmiana gruba kobieta w długiej spódnicy, w obu rękach trzymając ogromne kufle z piwem. Nad domem, na szarfie trzymanej przez dwa tłuste aniołki, staroświeckie litery układają się w napis „Hohen Klippe".

— To „Wysoki Klif" — mówię.

— Tak. Ten afisz wisi tu od zawsze.

— Co to znaczy? Ten napis?

— „Hohen Klippe"? Wysoki klif. Z tego co wiem, przed wojną też był tu pensjonat z restauracją. Nazywał się tak samo, tylko po niemiecku, bo wtedy mieszkali tu Niemcy.

— I teraz też masz tu restaurację? — pytam, oglądając się w jej stronę ze zdumieniem.

— Nie, nie opłacałaby się. W sezonie podajemy śniadania, obiady i kolacje, ale posiłki przywożę z ośrodka wypoczynkowego w Rewalu. Stasiowa tylko je podgrzewa i rozkłada na półmiskach w kuchni.

— Stasiowa?

— Tak, sąsiadka. Zatrudniam ją latem. Mieszka kawałek dalej. Sama też wynajmuje pokoje turystom, ale tylko trzy. Ma nieduży dom, więc dorabia u mnie. Chodź, pójdziemy do kuchni. Zrobię ci coś do zjedzenia, a potem zobaczysz swój pokój.

Ciotka przechodzi przez jadalnię i otwiera drzwi prowadzące do następnego pomieszczenia. Kuśtykam za nią, oglądając się za siebie z lekkim żalem, ale przecież jutro będę mógł wszystko dokładnie obejrzeć. Za drzwiami jest niewielki korytarz z trojgiem drzwi — jedne, częściowo przeszklone są na wprost, a dwie pary po bokach.

— A tam? Co tam jest? — pytam ciotkę, pokazując drzwi po lewej stronie.

— Z jednej strony dawny gabinet twojego dziadka. Przerobiłam go na biuro. A z drugiej magazynek z zastawą.

— Z zastawą?

— No, z talerzami i kubkami. Nie wiesz, co to jest zastawa stołowa?

Wchodzimy przez oszklone drzwi do kuchni. Jest to zdecydowanie największa i najdziwniejsza kuchnia, jaką widziałem w życiu. Podłogę ma z popękanych płytek, ułożonych w niebiesko-białą szachownicę. W jednej ze ścian, pomalowanych w bladoniebieskie wzorki, są dwa wysokie okna, na wprost nich ustawiony jest jeszcze większy kredens niż ten z jadalni. Tyle tylko, że ten nie ma tylu rzeźbień i pomalowany jest białą farbą olejną. Na środku stoi ciężki stół, też pomalowany na biało, a za nim widzę ciąg w miarę nowych szafek kuchennych. Jest ich dwa razy tyle, ile było w naszej warszawskiej kuchni. Jeden z kątów zajmuje pokryty białymi kaflami, wielki piec. To chyba stara kuchnia, ale nawet na filmach nie widziałem aż tak dużej. Obok, między piecem a kredensem, na ścianie wisi żeliwny zlew. Domyślam się, że to zlew, bo jest nad nim kurek, ale wcale nie przypomina zlewów, które widywałem. Ma kształt przyczepionej do ściany muszli.

— Ale ekstra — mówię z zachwytem w głosie.

— Co jest ekstra? — ciotka zapala gaz na jednej z dwóch kuchenek umieszczonych między nowszymi szafkami i stawia na niej czajnik.

— No, twoja kuchnia! Jest po prostu gigantyczna! Piec masz i w ogóle... A ten zlew działa? — pytam, wskazując metalową muszlę.

— Działa. Ale po co go używać? Jest niewygodny. Tutaj masz normalny zlew.

— Ten stary jest świetny — stwierdzam. — Jak fontanna. A gdzie masz lodówkę?

— Lodówki i zamrażarka są w spiżarni, tam — ciotka macha ręką w stronę białych drzwi w rogu pomieszczenia, obok okna. — Siadaj. Usmażę ci jajka. Lubisz jajka?

— Lubię. Ale bez glutów.

Siadam przy pomalowanym olejną farbą stole, którego gruby blat jest pełen nacięć i wgnieceń. Ciotka wyjmuje z kredensu talerz, stawia go przede mną. Z dolnej szafki wyciąga patelnię, przynosi ze spiżarni jajka i szynkę. Po chwili kuchnię wypełnia smakowity zapach — dopiero teraz uświadamiam sobie, jak bardzo jestem głodny. Ciotka zgarnia na mój talerz kopiastą stertę jajecznicy, stawia obok koszyk z chlebem i kubek pełen herbaty.

— Superjajca — mówię z pełnymi ustami, wciągając jajecznicę jak odkurzacz.

Jest naprawdę pyszna. Chleb zresztą też — ma chrupiącą skórkę, taką, jak lubię. Ciotka uśmiecha się do mnie lekko, opiera łokcie na blacie i pociera palcami skronie.

— Boli cię głowa? — pytam.

— Jestem zmęczona. Minęła trzecia w nocy, zawsze śpię o tej porze, bo muszę rano wstać o szóstej.

— O, matko. Ja też będę musiał?!

— Nie, ty nie. Stasiowa przychodzi o szóstej trzydzieści, potem jadę po pieczywo, mleko i wędliny na śniadanie. Śniadania są od ósmej.

— A co ja mam robić?

— Na razie nic. Potem zobaczymy. Skończyłeś?

— Tak. Dzięki.

Ciotka wstawia naczynia do zlewu. Wracamy do jadalni, zabiera moją torbę i wychodzi do holu.

— Przygotowałam ci dwunastkę — mówi ciotka. — To na parterze. Tyle tylko, że będziesz mógł tam mieszkać najwyżej do października, bo lewa strona domu, ta z jadalnią i kuchnią, jest ogrzewana, prawa nie, a na parterze pokoje są po prawej. Do października w dwunastce pewnie da się wytrzymać, ale potem będzie za zimno. Potem będzisz musiał przenieść się na piętro, do osiemnastki. To był pokój twojej mamy. Nie wiem, czy będziesz...

— Od razu mogę tam mieszkać. Poradzę sobie — mówię, przyglądając się szerokim schodom.

— Na pewno?

— Jasne, nie ma sprawy.

Wspinam się krok po kroku schodami, ciotka powoli wchodzi przede mną. Kolano iskrzy, ale zaciskam zęby i nic nie mówię. Pokonuję stopień po stopniu jak małe dziecko. Strasznie mnie to złości. Kiedy docieram do podestu pierwszego piętra, jestem całkiem spocony.

— Może jednak lepiej byłoby, żebyś na razie zamieszkał w dwunastce — odzywa się ciotka.

— Tu będzie w porzo — stwierdzam.

Korytarz pierwszego piętra jest szeroki, na podłodze leży wychodzony, poprzecierany chodnik, a ściany — tak samo jak ściany jadalni — pokrywa drewniana boazeria. Węższe schody prowadzą na drugie piętro, prawa część korytarza jest krótsza, a lewa dłuższa — jej koniec niknie w mroku.

— Tam jest dziesięć pokoi i łazienka. A z tej strony dwa i druga łazienka. Będzie tylko dla ciebie, bo dziewiętnastka też jest pusta.

— A gdzie jest twój pokój?

— Tutaj — ciotka wskazuje drzwi na wprost schodów. — Będę kilka metrów od ciebie, gdybyś czegoś potrzebował, zawołaj mnie.

— A co jest na górze?

— Na drugim piętrze jest osiem pokoi dla gości. A wyżej strychy.

— Strychy? — pytam zdziwiony. — Jest ich kilka?

— Tak, strychy mają dwa poziomy. Tata chciał kiedyś przerobić je na pokoje, ale nie mieliśmy pieniędzy na remont. Może kiedyś jeszcze o tym pomyślę... Chodź.

Ciotka prowadzi mnie w krótszą część korytarza.

— A co jest w wieży? — pytam.

— W wieży? A, w przybudówce. Na parterze składzik, na piętrze pokój, a wyżej strych.

— Och, a nie mógłbym mieszkać w tamtym pokoju?

— Przybudówka nie jest ogrzewana. To tutaj — Agata staje przed jednymi z drzwi i wyjmuje z kieszeni klucz, który wkłada do zamka pod klamką.

— O, te drzwi są niebieskie! Inaczej niż wszystkie.

— Mów ciszej.

— Dlaczego?

— Bo ludzie śpią.

— Ale dlaczego są niebieskie?

— Krystyna... To znaczy twoja mama je pomalowała. Mówiłam ci, że to kiedyś był jej pokój. Dziewiętnastka była moja.

— Dlaczego je tak pomalowała?

— Bo miała głupie pomysły. Tata się na nią zdenerwował wtedy. Twój dziadek.

— Wiem. Niebieskie drzwi są fajne.

Wchodzę za ciotką do pokoju mojej mamy, który od dziś jest moim pokojem. Wygląda inaczej, niż oczekiwałem. Ściany mają jasnożółty kolor, w oknie wiszą zasłony w czerwony, prosty wzór. Nie ma staroświeckich mebli ani boazerii. Pod jedną ze ścian stoi pomarańczowa meblościanka – to znaczy pomarańczowe są tylko drzwiczki, bo boki ma białe. Łóżko też jest białe i niewysokie, ze ściany nad jego wezgłowiem sterczą dwa kinkiety w kształcie metalowych kul. Nad nimi wisi granatowy plakat w antyramie z żółtym napisem „Fama '79" i kolorowymi gwiazdkami. Na podłodze leży zużyty, brązowy dywan w nieregularne pomarańczowe i czerwone koła, pod oknem stoi białe biurko, a obok komoda. Na wprost okna ustawiono zabawny włochaty fotel na jednej nodze, przy nim kulistą lampę stojącą. Pokój nie jest duży, choć większy niż mój warszawski.

– Masz – ciotka podaje mi klucz. – Zmieniłam pościel, w łazience wisi czysty ręcznik. Szafki są puste, możesz się rozpakować. Ale jutro, teraz kładź się spać.

– A wtedy, kiedy to był pokój mamy... Tak samo wyglądał?

– Mniej więcej. Miała więcej plakatów, no i oczywiście na półkach stały różne rzeczy i książki. Poradzisz sobie?

– Jasne.

– Łazienka jest po lewej.

– Znajdę.

– Gdyby ci się chciało pić...

– Mam sprite'a w plecaku, jeszcze z pociągu. Dam sobie radę, naprawdę.

– No, to... dobranoc.

– Dobranoc.

Dziesięć, no może dwanaście minut później leżę już pod kołdrą z umytymi zębami. Gaszę światło i w pokoju zapada mrok, ale nie jest bardzo ciemno – przez kolorowe zasłonki prześwieca blade światło. Na dworze robi się już jasno. Patrzę na sufit, na który patrzyła moja mama, kiedy miała tyle lat, ile ja teraz. Dziwne uczucie, gdy to sobie uświadamiam – i to, że patrzyła na ten sam sufit, i to, że miała tyle samo lat, ile mam ja. Mnie wtedy jeszcze w ogóle nie było i nikt nawet nie wiedział, że będę. Przerażająca myśl. Jutro rano zadzwonię do szpitala. Zabrałem z domu starą komórkę mamy, a Cebulka pomogła mi kupić kartę. Muszę tylko poprosić ciotkę o pieniądze na doładowanie. Chyba można gdzieś w tym całym Brzegu kupić doładowanie? E, na pewno można...

Za oknem budzą się ptaki – obce ptaki, inne niż te w Warszawie. Nigdy nie słyszałem jeszcze takiego ćwierkania. Na korytarzu rozlega się jakieś skrzypnięcie. Spoglądam szybko na niebieskie drzwi – od środka moja mama pomalowała je na taki sam kolor jak z zewnątrz. Skrzypienie się nie powtarza. Nasłuchuję przez chwilę i zamykam oczy. Serce bije mi mocno, ale już po kilku sekundach zasypiam.

IV

Pierwszy dzień w Brzegu

Schodzę na dół dopiero koło jedenastej. Spałem jak zabity. W świetle dnia „Wysoki Klif" nadal robi wrażenie, ale wygląda dużo biedniej. Schody są wydeptane, ściany pożółkłe. Wszystko jest mocno zużyte – drewniana lada recepcji, na której brzegach prześwieca spod ciemnej politury jaśniejsze drewno, wytarta poręcz schodów, w której brakuje kilku tralek, sufit z popękanym tynkiem i starymi zaciekami. Na schodach mijam jakąś panią w słomkowym kapeluszu. Spogląda na mnie obojętnie i szybko odwraca oczy. To przez kule i przez to, że utykam. Teraz, kiedy patrzę na ludzi, unikają mojego wzroku. Gapią się tylko wtedy, kiedy myślą, że nie widzę. Zdążyłem się już nawet do tego nieco przyzwyczaić, chociaż ciągle mi trochę głupio – przecież jestem tym samym Łukaszem, którym byłem rok temu.

– Dzień dobry – mówię głośno do tej pani.

Spogląda zaskoczona i uśmiecha się nerwowo.

— Dzień dobry.

Kobieta skręca w korytarz i znika za rogiem.

Ciotka jest w jadalni. Sprząta. Stoję w progu przez chwilę i przyglądam się jej. Nie zauważyła mnie. Wyciera blat stołu miarowym ruchem, poprawia serwetkę leżącą na środku, przestawia wazon z kwiatami. Jednak wcale nie jest podobna do mojej mamy. Nic a nic.

— Cześć! — odzywam się trochę zbyt głośno.

Ciotka podskakuje nerwowo i spogląda przez ramię.

— Zlękłam się — mówi, chociaż przecież widziałem. — Dzień dobry. Wyspałeś się?

— Tak.

— Zostawiłam ci śniadanie w kuchni, pod talerzem na kredensie. Kanapki z makrelą. Lubisz ryby?

— Lubię. Ale nie lubię ości.

— Nie powinno być ości. Ryby są zdrowe. W dzbanku obok kuchenki masz herbatę.

— Dobra, dzięki — ruszam w stronę kuchni.

— Poradzisz sobie? — pyta ciotka.

— Jasne. Nie jestem kaleką — mówię bezmyślnie, bo tak się mówi.

Tyle tylko, że to nie całkiem prawda w moim przypadku. Na razie. Maciek, fizjoterapeuta ze szpitala, powiedział, że jeśli będę ćwiczył regularnie, za jakiś czas będę mógł chodzić prawie normalnie, bez kuli. To tylko kwestia czasu.

Po śniadaniu zmywam starannie naczynia, ustawiam na suszarce i wracam do jadalni. Ciotki już tu nie ma. Oglądam uważnie kredens ze scenkami myśliwskimi i kryształowe naczynia, które są ustawione na jego półkach, a potem obrazki i grafiki wiszące na ścianach. Na wszystkich widać albo „Wysoki Klif", albo małe miasteczko i plażę, domyślam się, że to Brzeg. Drewno leżące w kominku jest bardzo stare – wysuszone i pokryte kurzem. Ciotka najwidoczniej nie rozpala ognia. To dziwne, gdybym ja miał kominek w domu, rozpalałbym w nim ogień codziennie. Nie wiem, co mam robić. Iść do swojego pokoju? Nigdzie nie widziałem tu telewizora, ale przecież jakiś musi tu być. Ciekawe, czy ciotka ma kablówkę albo satelitę? Postanawiam iść na brzeg klifu, popatrzeć na morze i na plażę.

Kiedy jestem w holu, z korytarza naprzeciw wyłaniają się chłopak z dziewczyną. Trzymając się za ręce, podchodzą do drzwi wejściowych. Chłopak zupełnie mnie ignoruje, dziewczyna uśmiecha się obojętnie. Wychodzą. Odczekuję chwilę i ruszam za nimi. Gdy naciskam klamkę, za moimi plecami rozlega się głos ciotki:

– Łukasz! Dokąd idziesz?

– Na dwór – odpowiadam, spoglądam na nią przez ramię i pytam: – Mogę chyba?

– Pewnie, że możesz. Tylko... No, uważaj na siebie.

– Jasne. Ciociu?

– Co?

– Nie pożyczyłabyś mi dychy, żebym mógł doładować telefon?

– Telefon?

– Komórkę. Chciałem zadzwonić do szpitala i zapytać, co u mamy.

Ciotka przygląda mi się znad okularów przez chwilę i wzdycha wreszcie.

– Możesz zadzwonić z biura. Tam jest telefon.

– Ale... Wolałbym z komórki. Zresztą przecież powinienem mieć komórkę, żeby moc zadzwonić czy coś. A ty, ciocia, nie masz komórki?

— Mam — ciotka ściąga usta, zastanawia się przez moment i mówi: — Nie zarabiam tyle, ile twoja mama.

— Mama? — pytam głupio, bo nie rozumiem, o co jej chodzi.

— Tylko przez sezon jest dochód. Trzy miesiące. Za to, co zarobię przez ten czas, muszę przeżyć jesień, zimę i wiosnę. I utrzymać dom.

Przez krótką chwilę nie wiem, po co mi o tym mówi, nagle to do mnie dociera i czuję, że policzki robią mi się gorące.

— Ale ja nie chcę, żebyś mi dawała pieniądze! — prawie wykrzykuję. — Chciałem tylko pożyczyć dychę na doładowanie, żeby zadzwonić do mamy!

— Przecież wiesz, że z nią nie porozmawiasz.

— Wiem! Ale zapytam, jak się czuje. I czy się nie obudziła. Może coś się zmieniło!

— Jeśli coś się zmieni, lekarz zadzwoni do mnie. Zostawiłam numer telefonu. Ale skoro bardzo chcesz, możesz zadzwonić z gabinetu. Dobrze?

Przyglądam jej się przez chwilę, odwracam się, wychodzę na ganek i przystaję przy poręczy schodów. O głupią dychę robić taką sprawę! To nie może chodzić o te dziesięć złotych. Ona po prostu nie chce, żebym miał telefon, żebym mógł do kogoś zadzwonić. Czy ja jestem w więzieniu, czy co?

— Łukasz — ciotka wychodzi za mną na ganek, nawet jej nie usłyszałem. — Masz.

Podaje mi dziesięć złotych. Gapię się na pieniądze przez moment i odwracam głowę.

— Nie potrzebuję — mruczę. — Poradzę sobie.

— No, masz. Weź.

Po kilku sekundach biorę od niej dychę i chowam do kieszeni dżinsów.

— Dziękuję. Ale to tylko pożyczka. Kiedy mama się obudzi, wszystko ci oddamy — mówię.

Ciotka spogląda na mnie znad okularów, wreszcie kiwa głową i odwraca się w stronę drzwi.

— Ciociu — pytam pospiesznie. — A nie wiesz, gdzie tu można kupić doładowanie?

— Nie wiem. Może w kiosku? Musisz pójść w lewo, to jakieś sto metrów. Kiosk jest na rogu Piaskowej i Morskiej, zaraz obok przystanku autobusowego.

Wracam pod pensjonat pół godziny później. Ten cały Brzeg okazuje się strasznie małą dziurą, dosłownie dwie ulice na krzyż. Sklep spożywczy, kiosk, budka z pamiątkami, smażalnia ryb urządzona w starym budynku dworca kolejowego zbudowanym z czerwonej cegły. Plaża też jest nieduża, przyjrzałem się jej dokładnie z klifu, ma może sześć metrów od urwiska do morza. Teraz jeszcze da się wytrzymać w tej wiosce, jest ciepło, sporo turystów. Ale co robić jesienią i zimą? Przecież można oszaleć z nudów! Ile tu może mieszkać osób?

Staję obok barierki za ulicą, dzwonię do szpitala. Stan bez zmian. Rozpoznaję już pielęgniarki po głosie — dziś odebrała taka z kręconymi włosami. Dość miła, ale wolę drugą, niską, która zawsze pamięta, jak mam na imię, nawet kiedy się nie przedstawiam. Zmęczył mnie ten spacer, uchwyt kuli ślizga mi się w dłoni. Wracam do „Wysokiego Klifu".

— Kupiłeś? — pyta ciotka na mój widok.

— Tak. Strasznie mały ten Brzeg — stwierdzam.

— No, duży nie jest.

— A ile tu mieszka ludzi? Tak na stałe?

— Nie wiem dokładnie. Około pięćdziesięciu osób. Ale jest kilkoro dzieci w twoim wieku.

— Tak? A gdzie szkoła? — pytam.

— W Kamieniu, tam gdzie wysiedliśmy z pociągu.

— Aha.

Pewnie jeżdżą autobusem. Nie wiem dokładnie, jak daleko jest Kamień, bo zasnąłem wczoraj w aucie. Ciotka zapina żakiet, ten sam, który miała wczoraj na sobie, i poprawia włosy, ciasno spięte metalowymi wsuwkami.

— Idziesz gdzieś? — pytam.

— Jadę do ośrodka. Po obiady. Chcesz jechać ze mną?

— Chyba nie, może jutro. Zmęczyłem się. Rozejrzę się po domu. O ile to okej?

— Jesteś u siebie, możesz robić, co chcesz — ciotka bierze torebkę i wyjmuje z niej kluczyki do furgonetki.

Mijam ją i idę w stronę schodów. Ciotka kładzie mi rękę na ramieniu i po raz pierwszy mówi coś, co przez następne dni będę słyszał co najmniej sto razy.

— Tylko zanim gdzieś wejdziesz, najpierw zapukaj.

— Zapukać? — pytam zdziwionym tonem.

— Do drzwi. Nigdy nie wiadomo, co robią goście i gdzie mogą być. Zawsze, zanim otworzysz któreś drzwi w tym domu, pamiętaj, żeby zapukać.

Unoszę wysoko brwi, spoglądając w podłogę, ale w końcu ja też jestem tu tylko gościem, ona jest u siebie.

— Jasne, ciocia — mówię i idę na piętro.

— Zawsze pukaj! — powtarza ciotka.

Nie odwracam się i zaczynam wchodzić na górę — stopień po stopniu.

Dom jest ciekawy, ale nie aż tak interesujący, jak wydawało mi się to wczorajszej nocy. Większość pokoi zamknięto na klucz – nie wiem, czy ktoś je wynajmuje, czy stoją puste. Zaglądam do pokoju ciotki. Okazuje się, że to właściwie małe mieszkanie. Jest tu sypialnia i coś w rodzaju saloniku, do którego przylega łazienka. Ciotka ma telewizor. Czarne pudło z niewielkim ekranem, który jest o ponad połowę mniejszy niż ekran naszego plazmowego telewizora w Warszawie. Włączam go – okazuje się, że jest tylko pięć kanałów! Jak można tak żyć? Wyłączam odbiornik i schodzę na dół. Pokoje na parterze też są pozamykane. Odnajduję składzik w wieży – nic ciekawego, same półki z ręcznikami i pościelą na zmianę. Idę do jadalni, oglądam gabinet, magazynek z talerzami, kuchnię, spiżarnię. Za kuchnią jest jeszcze jeden korytarz, z którego jednymi drzwiami wychodzi się do ogrodu, a drugie prowadzą do piwnicy. Piwnica wygląda obiecująco, na pewno jest tam mnóstwo ciekawych rzeczy, ale kamienne schodki są bardzo strome i wysokie. Nie dam rady po nich zejść. Wracam do jadalni i siadam w fotelu obok kominka. Przecież ja tu naprawdę zwariuję z nudów!

Przez kilka następnych dni ta moja przepowiednia ma szansę sprawdzić się w stu procentach – nie mam pojęcia, co robić z czasem. Trzydziestego sierpnia wyjeżdża większość gości, ciotka bez przerwy sprząta, pierze pościel i ręczniki, widuję ją tylko w przelocie. Stasiowa, która pracuje w „Wysokim Klifie”, jest na oko sympatyczną, rumianą staruszką, ale niespecjalnie chyba lubi rozmawiać – przynajmniej ze mną. Odburkuje, kiedy mówię jej dzień dobry, a raz, gdy zapytałem, czy lubi mieszkać w Brzegu — ot tak, żeby pogadać — popatrzyła tylko na mnie dziwnym wzrokiem i odwróciła się bez słowa. Cebulka przy niej wydaje mi się teraz istną fontanną rozrywki. Przynajmniej można z nią porozmawiać i nawet czasem się pośmiać, bo ma poczucie humoru.

Codziennie dzwonię do szpitala, mama nadal śpi. Dzwonię też do Cebulki, która opowiada mi o tym, co dzieje się w naszym domu. Raz dzwonię do Krzyśka z warszawskiej szkoły, który był moim najlepszym kumplem przed wypadkiem, ale nie bardzo mamy o czym rozmawiać. To dziwne, bo kiedyś dzwoniliśmy do siebie ciągle i w kółko gadaliśmy. Zdążyłem poznać już cały Brzeg, nie byłem tylko na plaży, ale — chociaż próbowałem — nie udało mi się zejść po drewnianych schodach w dół klifu. A zresztą nawet gdyby mi się udało, nie da się chodzić po piasku o kuli. Ćwiczę nogi, tak jak kazał Maciek, ale ile można ćwiczyć? Zresztą wyraźnie powiedział, że jeśli przesadzę, będzie tylko gorzej, a nie lepiej.

Stoję przy barierce plecami do morza i przyglądam się domowi. Nie oglądałem jeszcze strychów. Z tego, co mówi ciotka, wynika, że mógłbym tam znaleźć mnóstwo ciekawych gratów. Są tam też rzeczy i książki mamy... Może uda mi się jakoś wejść na górę? W końcu nie muszę się spieszyć. Podejmuję decyzję, odrywam się od barierki i mocno ściskając kulę, zaczynam kuśtykać w stronę ganku. Nagle słyszę narastający szum. Brzmi znajomo... To przecież deskorolka! Albo nawet dwie. Nadjeżdżają od strony kiosku. Odwracam się w kierunku skrzyżowania Piaskowej i Morskiej, a po chwili staję oko w oko z Moniką, Zgryzem i Pchełką.

V

Monika, Pchełka i Zgryz

Zza zakrętu pierwsza wyłania się dziewczyna w czarnym T-shircie, czarnych dżinsach i baseballówce, spod której wymykają się długie kosmyki kręconych, ciemnych włosów. Ulica biegnie w dół, więc dziewczyna pędzi w moją stronę lekko pochylona, stojąc obiema stopami na desce. Na oko jest w moim wieku, może odrobinkę młodsza. Zaraz za nią pojawia się chudy, wysoki chłopak w skate'owskich szerokich, krótkich spodniach i zbyt dużej koszulce, która powiewa za nim niczym peleryna. Na głowie też ma baseballówkę z prostym daszkiem, przekręconą na bok. Dogania dziewczynę, która pochyla się niżej, żeby zmniejszyć opór powietrza, i przyspiesza. Po sekundzie zza kiosku wyłania się... Matko, najgrubszy chłopak, jakiego widziałem! Co najmniej pół głowy wyższy ode mnie, a na pewno dwa albo i trzy razy szerszy. Jego twarz lśni od potu, na szarym, gigantycznym T-shircie widać ciemne plamy pod pachami. Podobnie jak chudy chłopak ma na sobie skate'owskie spodnie i białą baseballówkę w czarną kratkę. Deska wygina się pod ciężarem chłopaka tak bardzo, że jej środkowa część prawie szoruje po asfalcie. Grubas odbija się ciężko nogą od ulicy i nabiera tempa. Łup, łup — jego stopa w białym adidasie wali w jezdnię z taką mocą, że aż cały „Wysoki Klif" się trzęsie! Poważnie, jestem pewny, że aż dzwonią talerze i kubki w magazynku za jadalnią. A ten jego szary T-shirt jest co najmniej tak duży jak poszewka na moją kołdrę...

Dziewczynę dzielą już ode mnie najwyżej dwa metry. Skręca deskę, żeby mnie ominąć, chudzielec jest tuż za nią, próbuje objechać mnie z drugiej strony. Podpieram się kulą i nie wiem, czy dać krok do przodu, czy do tyłu. Dziewczyna mija mnie, pęd powietrza mierzwi mi włosy.

— Zejdź! — wydziera się gruby chłopak do mnie. — No, zejdź z drogi!

Próbuje wyhamować, ale ma zbyt wielką masę i pędzi za szybko. Wysuwam kulę przed siebie, żeby odskoczyć, uchwyt wyślizguje mi się ze spoconej dłoni, tracę równowagę i upadam na asfalt. Grubas, rozpaczliwie machając rękami, próbuje mnie wyminąć. Brzeg deskorolki szoruje po jezdni, ale nie udaje mu się — kółka zawadzają o moją kulę i chłopak z ogłuszającym łomotem przewraca się metr ode mnie. Dziewczyna ogląda się przez ramię i zawraca zgrabnie, chudy chłopak też. Wyhamowują deski tuż obok grubasa.

— Pchełka, okej? — pyta dziewczyna. — Nic sobie nie zrobiłeś?

— Ale się wygrzmocił! Pół klifu chyba zleciało do morza — zaśmiewa się chudy.

— Z czego się śmiejesz, durny Zgryzolcu? — pyta wściekłym, zaskakująco cienkim głosem gruby chłopak, siadając na jezdni. — Rozwaliłem łokieć!

— Krew ci leci — stwierdza dziewczyna.

— Krew?! — zapiewa gruby, próbując obejrzeć sobie łokieć, co przychodzi mu z trudem.

Sięgam po kulę, opieram się na niej i usiłuję wstać. Moją lewą nogę, tę ze sztywnym kolanem, przeszywa nagle jaskrawa błyskawica bólu — tak silnego, że aż mi zaczynają wirować przed oczami czerwone plamki. Pojękuję głośno.

— Ty, cały jesteś? — pyta mnie dziewczyna.

— Zostaw go! — wykrzykuje Pchełka, podnosząc się z ulicy. — Debilu, przez ciebie mi krew leci!

Nabieram tchu, odczekuję pół sekundy i dźwigam się do pionu, wsparty o kule. Jestem całkowicie zlany potem. Dlaczego tak się dzieje, że gdy tylko zaboli mnie ta noga, od razu jestem spocony jak mysz?

— No i co?! — odzywa się Pchełka wściekłym tonem.

— Nie chciałem — mamroczę.

— Co nie chciałeś, łamago? Czego łazisz po jezdni?

— Odpuść — mówi do niego dziewczyna. — Przecież widzisz, że jest kulawy.

— Kulawy? To czego nie siedzi w domu, tylko łazi?!

Opieram się na kuli i próbuję odejść w stronę domu. Powinienem trzymać język za zębami, ale nie mogę się opanować i mówię:

— Wolę być kulawy niż tłusty.

Oczy chłopaka zwężają się w małe szparki, robi się czerwony i cedzi przez zęby:

— Pożałujesz tego...

Wymijam go, ale grubas zastępuje mi drogę.

— Gdzie? Jeszcze nie skończyłem z tobą!

— Przestań, Pchełka — dziewczyna pociąga go za koszulkę. — Chodź, jedziemy.

— Dam mu nauczkę. Nie wtrącaj się, Mona.

Nogę znowu przyszywa mi piorun bólu. Wykrzywiam się i na moment zaciskam powieki.

— O, zaraz się poryczy! — wykrzykuje Pchełka. — No co, poryczysz się? Poryczysz, kuśtyku?

— Wcale nie płaczę! Daj mi spokój — mówię do niego, starając się, żeby głos mi nie drżał.

Chudy chłopak przygląda mi się, ale nic nie mówi. Znam takie spojrzenie — zarazem obojętne i zaciekawione. W taki sposób ludzie przyglądają się wypadkom na drodze przez szyby swoich samochodów, kiedy mijają miejsce zdarzenia.

— Fajne wakacje? — pyta półgłosem grubas, przysuwając się do mnie trochę. — Podoba ci się w Brzegu? Zaraz ci się przestanie podobać.

— On tu nie jest na wakacjach — mówi nagle chudy chłopak. — Ja wiem, kim on jest.

— Kim? — pyta Mona.

— On przyjechał do świrniętej Agaty, jest jej rodziną. A jego matka się zabiła w wypadku. Moi rodzice mówili.

— Nie zabiła się! — spoglądam wściekle na chudego, a głos trochę mi się załamuje ze zdenerwowania. — Tylko jest w szpitalu! Ale niedługo wyjdzie.

— Niedjugo wijdzie — przedrzeźnia mnie grubas. — Skąd jesteś, kuśtyku?

— On jest z Warszawy — usłużnie odpowiada za mnie chudy chłopak.

— Z Warszawy! Ojejciu, aż z samiutkiej Warszawy — wygłupia się Pchełka, komicznie wytrzeszczając oczy. — Ale już nie jesteś z Warszawy, co?

— Odczep się! — próbuję go wyminąć.

Nagle, niespodziewanie zwinnie jak na takiego grubasa, Pchełka wysuwa stopę i kopie w moją kulę, która odskakuje w bok, wymyka mi się z ręki i z brzękiem upada na asfalt. Akurat stoję na prawej nodze, więc udaje mi się cudem zachować równowagę, ale na ułamek sekundy opieram się na lewej i znowu przeszywa ją błyskawica bólu. Wyrywa mi się krótki okrzyk.

— Piszczy jak baba — zaśmiewa się Pchełka. — Słyszeliście? Jak baba! No, popiskaj nam jeszcze, kuśtyku!

— Przestań, Pchełka — mówi Mona.

— Jak będę chciał!

— Łukasz! — nagle gdzieś za mną rozlega się wołanie ciotki. — Co się dzieje?

Spoglądam w stronę domu i widzę ją na ganku. Tego mi jeszcze było trzeba... Ciotka poprawia okulary i szybko schodzi po schodkach.

— Spadamy — rzuca Pchełka, pochyla lekko głowę, żeby zajrzeć mi w oczy i cedzi: — A z tobą jeszcze się policzymy, kuśtyku. Lepiej się nie pokazuj na ulicy.

— Zostawicie go w spokoju! Ale już! — pokrzykuje ciotka, maszerując w naszą stronę. — Marek, ja znam twoich rodziców!

— Świruska — stwierdza półgłosem Pchełka, ustawiając deskorolkę i opierając na niej stopę. — Taka sama jak i ty. Ale ja cię jeszcze dopadnę, masz to jak w banku. A wtedy już ci świrnięta Agata nie pomoże. Zgryz, Mona — zjeżdżamy.

Odpycha się nogą i odjeżdża. Zaraz za nim rusza Zgryz. Mona przez krótką chwilę patrzy na mnie ze zmarszczonymi brwiami, potrząsa lekko głową i odjeżdża także.

— Jeśli was jeszcze raz tu zobaczę, powiem rodzicom! — woła za nimi ciotka Agata i pyta: — Nic ci nie zrobili?

Zaciskam zęby i schylam się po kulę. Ciotka sięga pierwsza, podnosi ją i mi podaje. Biorę bez słowa i ruszam w stronę ganku.

— Łukasz, wszystko w porządku? Czego oni chcieli od ciebie?

— Nic nie chcieli — mówię cicho, wchodząc na pierwszy stopień. — Po co się wtrąciłaś?

— Jak to po co? — ciotka spogląda na mnie ze zdumieniem. — Przecież widziałam, że...

— Teraz to on już na pewno się ode mnie nie odczepi! — przerywam jej wściekłym tonem. — Wcale nie prosiłem o pomoc!

Wchodzę na ganek szybciej, niż powinienem, ale zaciskam mocno zęby i nie zwracam uwagi na ból. Nie oglądając się w stronę ciotki, kuśtykam przez hol, wdrapuję się na piętro i z całej siły trzaskam za sobą niebieskimi drzwiami. Świrnięta Agata! Pewnie, że świrnięta, a na pewno głupia. Czy ona nie rozumie, że jeśli facet ma kłopoty, to żadna baba, a już ciotka w szczególności, nic nie pomoże, tylko zaszkodzi? Wyszedłem przez nią na kompletnego maminsynka! Ciociunia mnie obroniła! Sam bym sobie poradził, nie z takim sobie dawałem radę w szkole czy na koloniach. Co prawda wtedy mogłem normalnie chodzić i biegać. Miałem normalny dom, iPhone'a, laptopa i plazmę w dużym pokoju... Mama nigdy by się tak nie zachowała, nigdy!

Siadam na łóżku i ciskam kulę na podłogę. Nie chcę tu być! Niech mama już się obudzi, niech wyjdzie z tego głupiego szpitala i niech mnie zabierze do domu. Wcale nie potrzebuję iPhone'a ani laptopa, ani tej całej plazmy w salonie! Chcę tylko, żeby mama się obudziła, żeby przestało mnie boleć i żeby było tak jak przedtem!

A co będzie, jeśli mama nigdy się nie obudzi? Nie, to niemożliwe. Jestem tego pewny na milion procent! Nie potrafię wyjaśnić skąd, ale to wiem. I wciąż mam takie dziwne wrażenie, jakby mama była cały czas przy mnie, jakby o mnie myślała. Kiedy mocno zamykam oczy, czuję przy sobie jej obecność...

Kładę się na plecach, spoglądam na zażółcony sufit. Pewnie gdybym mógł się rozpłakać, byłoby łatwiej, ale wcale nie mogę. Dzieją się takie okropne rzeczy, a ja nawet nie mogę się rozpłakać. Kiedyś, kiedy byłem mały, wystarczyło, żebym się uderzył albo otarł kolano, a już beczałem na cały głos. A teraz? Teraz nie mogę, a chyba nigdy w życiu nie miałem więcej powodów do płaczu.

Na suficie jest zaciek. Ma jasnobrązową otoczkę — wyraźną przy krawędzi i miękko przechodzącą w jaśniejszy kolor ku środkowi. Jak kontynent na starej mapie. Wyobrażam sobie, że siedzę w statku kosmicznym, w międzygwiezdnym ścigaczu i patrzę na jakiś obcy świat z orbity. Ja jestem w górze, sufit to dół. Zaraz zacznę schodzić do lądowania...

Chciałbym być gdzie indziej. Chciałbym, żeby ten zaciek był innym światem, w którym mógłbym się ukryć. Najlepiej bezludnym. Zabrałbym do niego mamę, nie musiałaby tyle pracować. Zbudowalibyśmy sobie dom na drzewie, miałbym laser w ekwipunku. Z łatwością mógłbym nim przeciąć najgrubszy pień, a nawet skałę. Na statku byłoby też laboratorium genetyczne, zrobiłbym w nim różne nowe, pożyteczne gatunki warzyw i owoców, na przykład truskawki wielkie jak arbuzy albo zakręcane kokosy, których wcale nie trzeba by rozbijać maczetą, żeby dostać się do środka. Jedlibyśmy więc te truskawki, popijali mlekiem z kokosów i piekli w ognisku ryby, a wieczorami gralibyśmy w okręty — jak kiedyś. Jestem bardzo dobry w okręty, mama zawsze tak mówiła. Wygrywam prawie za każdym razem.

Ktoś puka do drzwi. Wcale nie ktoś, tylko ciotka. Największa fanka pukania pod słońcem, ona po prostu ma obsesję na punkcie pukania do drzwi. Nie odzywam się. Może sobie pójdzie.

— Łukasz? — słyszę jej głos z korytarza.

Milczę. Ciotka naciska klamkę i drzwi się otwierają. Trzeba było przekręcić klucz w zamku.

— Mogę? — pyta, zaglądając do pokoju.

Co mam jej powiedzieć? Że nie może? Bez słowa odwracam wzrok w stronę obcego lądu na suficie. Dopiero teraz zauważam, że ma kształt szerokiej strzałki, której koniec wskazuje niebieskie drzwi.

Ciotka stoi w progu i milczy przez długą chwilę. Świrnięta Agata. Wcale się nie dziwię, że tak na nią mówią. Ubiera się, jakby uciekła z jakiegoś przedwojennego filmu, skąd w ogóle bierze się takie buty? Mama nigdy w życiu nie założyłaby czegoś takiego. Prawie zawsze nosiła szpilki i w ogóle fajnie się ubierała. Ciekawe, ile ona właściwie ma lat, ta cała Agata? Skoro jest siostrą mojej mamy, nie może być od niej dużo starsza. Zresztą na zdjęciu, na którym obie siedziały za stołem z białymi kokardkami na warkoczach, wydawały się w tym samym wieku.

A teraz? Równie dobrze mogłaby być moją babką, a nie ciotką. Mama wyglądałaby przy niej jak jej córka.

— Zaraz będzie obiad — mówi ciotka.

— Nie jestem głodny — odmrukuję.

Czy ona potrafi rozmawiać ze mną tylko o jedzeniu? Śniadanie, obiad, kolacja — jeżeli się do mnie odzywa, to tylko w takich sprawach. Spoglądam na nią, stoi obok drzwi, skubiąc palcami guzik przy bluzce i przyglądając mi się zza okularów ze zmarszczonymi brwiami. Po co ona w ogóle mnie do siebie zabrała?

— Nie chcę tu być — mówię. — Chcę wrócić do Cebulki i jeść na okrągło jej gotowaną kapustę.

— Przecież wiesz, że nie możesz.

— Wszystko mogę! Nie jesteś moją mamą, nie będziesz mi mówiła, co mogę, a co nie! — wykrzykuję, siadając na łóżku i patrząc na nią ze złością.

Ciotka gapi się na mnie przez chwilę ze zdumieniem, a potem ściąga usta i podsuwa sobie okulary na nosie wskazującym palcem.

— Nie umiem z tobą rozmawiać — stwierdza.

— To nie rozmawiaj — wzruszam ramionami. — Bez łaski.

— Jesteś zupełnie taki sam jak twój ojciec — mówi ciotka, odwraca się na pięcie i wychodzi z pokoju, zamykając za sobą drzwi.

Gapię się na nie przez długą chwilę z otwartymi ze zdumienia ustami. Jak mój ojciec? Ona znała mojego ojca? Dlaczego nic mi nie powiedziała?! Podnoszę się z łóżka najszybciej, jak potrafię, chwytam kulę i ruszam za nią.

VI

TATA, SCYZORYK I SKÓRZANA KURTKA

aczekaj! Ciociu! – wołam, otwierając niebieskie drzwi.

Nie ma jej już. Wychodzę na korytarz, nasłuchuję, ale nie wiem, dokąd poszła. Ktoś śmieje się na drugim piętrze, jakaś kobieta. Trzaskają drzwi. Skoro mówiła, że zaraz obiad, pewnie poszła do kuchni. Schodzę na dół i kuśtykam do jadalni. Stasiowa, która teraz przychodzi już tylko w czasie śniadania, obiadu i kolacji, rozstawia talerze dla gości na długim stole. W pensjonacie zostało jeszcze siedem osób.

– Pani Stasiowa, nie było tu ciotki? – pytam.

Przez moment mam wrażenie, że mnie nie usłyszała, ale wreszcie bez słowa kiwa głową w stronę kuchni. Poprawiam uchwyt kuli i idę w tamtą stronę.

Ciotka stoi przy ciągu szafek kuchennych i przelewa zupę z ogromnego zielonego termosu w kwiaty do porcelanowej wazy.

— Dlaczego mi nie powiedziałaś? — pytam bez wstępu.

— Czego ci nie powiedziałam? — ogląda się przez ramię ze zdziwieniem.

— Że znałaś mojego tatę!

Ciotka odwraca się z powrotem w stronę blatu i wstawia termos do zlewu.

— Myślałam, że wiesz.

— Nic nie wiem! Mama nic mi o nim nie mówiła!

— Widocznie miała swoje powody — ciotka przestawia wazę na stół i wyjmuje z szuflady kredensu chochlę. — Umyj ręce.

— Ale powiedz mi!

— Co mam ci powiedzieć?

— No, o moim tacie!

Wkłada chochlę do wazy, opiera się o brzeg blatu stołu i patrzy na mnie znad okularów. Cały się trzęsę ze zdenerwowania, a ona tylko mi się przygląda!

— Co mam ci powiedzieć? — pyta wreszcie.

— Wszystko! Jaki był? Jak miał na imię?

— Miał na imię Łukasz — mówi ciotka, bierze wazę i idzie z nią do jadalni, z której dobiega już gwar rozmawiających gości.

— Tak jak ja? — pytam głupio. — I co jeszcze? Co jeszcze? Wiesz, gdzie mieszka? Masz jego telefon? Mogę do niego zadzwonić?

Ciotka mija mnie i znika w korytarzyku prowadzącym do jadalni. Nie wiem, czy iść za nią, czy czekać. Jeśli jej się wydaje, że będę jadł teraz zupę, to się grubo myli! Wraca po chwili i otwiera dużą, granatową torbę termiczną, z której zaczyna wyjmować styropianowe pojemniki z drugim daniem.

— No więc? Ciocia! — wykrzykuję.

— Porozmawiamy po obiedzie — odpowiada ciotka, przekładając z pojemników kotlety mielone i ziemniaki na półmiski. — Tu dla ciebie odkładam.

Odsuwa na bok jeden pojemnik, a mi po prostu ręce opadają! Będzie się teraz zajmowała jakimiś starymi kotletami, zamiast opowiedzieć mi o jednej z najważniejszych spraw w moim życiu! Nabieram tchu, żeby wyjaśnić jej, co o tym wszystkim myślę, ale rezygnuję niemal natychmiast, bo jeśli się na mnie obrazi, to nie będzie ze mną chciała rozmawiać. Siadam na krześle przy stole z twardym postanowieniem, że nie ruszę się stąd, dopóki mi wszystkiego nie powie.

Zanosi półmiski do jadalni, potem wraca, wyjmuje z torby okrągłe plastikowe pojemniki z surówkami i przekłada je do misek. Zanosi. Wraca po kompot, który przelewa z drugiego termosu do przezroczystego, szklanego dzbanka. Przecież to oszaleć można! I co jeszcze? Może ciasto upiecze? Niesie dzbanek do jadalni. Nie ma jej strasznie długo. No, chyba nie je obiadu z gośćmi?! Nigdy tego nie robi, pójdę i spraw... W tym momencie ciotka wchodzi do kuchni, niosąc ostrożnie talerz pełen zupy. Stawia go przede mną, podaje łyżkę.

— Jedz — mówi i siada naprzeciw mnie przy stole.

— Ciocia! — jęczę błagalnie. — Opowiedz...

Do kuchni wchodzi Stasiowa.

— Pani Agato, ta ruda mówi, że jej mało słone. A sól wyszła.

— Jak to wyszła? Na kredensie stoją dwie solniczki.

— Ale puste.

— Jak puste? Obie puste? — dziwi się ciotka.

— Ano puste — ponuro kiwa głową Stasiowa.

— Zaraz — ciotka wstaje, idzie do spiżarni i przynosi plastikowy woreczek z solą. — Proszę, pani nasypie.

Stasiowa bierze sól i wychodzi. Ciotka siada za stołem i wzdycha.

— No, jedz. Bo wystygnie.

Biorę łyżkę posłusznie i nabieram porcję zupy. Barszcz ukraiński, nie cierpię barszczu ukraińskiego. Wzdycham cicho i zaczynam jeść.

— To powiesz mi? — pytam między jednym łykiem a drugim.

— Co chcesz wiedzieć?

— Kim był mój tata?

— Twój tata... — zaczyna ciotka, ale w tej samej chwili do kuchni wchodzi Stasiowa.

Przecież tu jest gorzej niż na dworcu!

— Nasypałam.

— To dobrze — mówi ciotka, podnosi się, zabiera sól i odnosi ją do spiżarni.

Stasiowa staje obok kredensu z rękami zaplecionymi na brzuchu. Ciotka wraca, siada przy stole.

— Dziękuję, Stasiowa — mówi.

Stasiowa dalej stoi.

— Coś jeszcze? — pyta ciotka.

— Ten od tej blondynki spod piątki, wie pani? — odzywa się Stasiowa.

— Wiem.

— Ten, co narzekał, że wcale morza od nich nie widać z okna.

— Wiem, Stasiowa, który. Co z nim?

— Chce dokładkę.

— Czego dokładkę?

— Kotleta chce drugiego.

— No, to niech zje.

— Ale nie ma więcej kotletów — spokojnie mówi Stasiowa, a ja czuję, że za chwilę eksploduję ze złości.

— Jak to nie ma więcej kotletów? — pyta ze zdziwieniem ciotka. — Przecież przywiozłam dwie dodatkowe porcje!

— Ale ten siwy, wie pani, ten spod ósemki.

— Wiem. Co z nim?

— Ten, co usiadł na swoich okularach, jak je położył na fotelu przed kominkiem.

— Wiem który. Niech Stasiowa powie, o co chodzi.

— No to on zjadł już dwa kotlety. Dlatego ten spod piątki chce drugiego, bo zobaczył, że tamten zjadł.

— Ale powinien być jeszcze...

— Kiedy nie ma, bo ta chuda, wie pani. Ta farbowana na czarno.

Ciotka przymyka oczy na sekundę i wzdycha cicho.

— Co z tą czarną?

— Ona też wzięła dodatkowego kotleta. Ale nie zjadła, ino zawinęła w serwetkę. Myślała, że nie patrzę, ale widziałam. Schowała do torebki.

Ciotka chowa twarz w dłoniach i mówi:

— Stasiowa, chyba się wykończę.

— Ja tam nie wiem — stwierdza spokojnie Stasiowa. — To co z tym spod piątki?

— Niech mu pani da mojego kotleta! — prawie wykrzykuję. — Tam stoi.

— Ale to twój obiad... — zaczyna ciotka, urywa i mówi: — Chyba że ci jajka usmażę.

— Super, lubię jajka — oświadczam.

— Powinien być kefir w lodówce, wczoraj kupowałam — myśli na głos ciotka. — Może byś zjadł ziemniaki z jajkiem sadzonym i kefirem...

— Ekstra — wpadam jej w słowo.

— To co robić? — pyta Stasiowa.

— Stasiowa weźmie kotlet Łukasza.

— Mogę wziąć, czemu nie. A co, jak będą chcieli jeszcze jeden?

— To Stasiowa powie, że więcej nie ma.

— Powiedzieć mogę, czemu nie. Ale sama się nie będę tłumaczyła, jakby co, tylko z miejsca do pani Agaty odeślę z zażaleniem.

— Stasiowa odeśle — kiwa głową ciotka, pocierając skronie palcami.

— Żeby nie było, że nie uprzedzałam — oznajmia Stasiowa i nareszcie rusza się spod kredensu.

Otwiera styropianowy pojemnik i wyjmuje mój kotlet dwoma palcami.

— Stasiowa, jak pragnę zdrowia! Ręką?! — wykrzykuje ze zgrozą w głosie ciotka.

— A po co to sztućce brudzić niepotrzebnie? — wzrusza ramionami Stasiowa.

Zanosi kotlet do kredensu, wyjmuje ze środka talerzyk. Kładzie na nim mielonego, wyciera palce o fartuch i wreszcie idzie do jadalni.

— Niech się już ten sezon skończy — półgłosem mówi ciotka.

— Zjadłem! — oświadczam, odsuwając od siebie pusty talerz. — Niech mi ciocia opowie o tacie.

— Poczekaj, usmażę ci jajka.

Ona mi to chyba wszystko na złość robi! Przyglądam się zrozpaczonym wzrokiem, jak ciotka przynosi ze spiżarni dwa jajka i kefir, a potem rozbija je na brzegu patelni.

— Sadzone czy jajecznica? — pyta.

— Wszystko jedno!

Goście kończą obiad i Stasiowa zaczyna znosić do kuchni brudne naczynia. Ciotka nakłada mi na talerz ziemniaki z pojemnika, zgarnia na nie jajka z patelni i stawia przede mną kubek z kefirem.

— Stasiowa, ja pozmywam — mówi. — Niech już Stasiowa idzie.

— Mogę iść, czemu nie — odpowiada Stasiowa. — Ale zmywanie, żeśmy uzgodniły, moja rzecz...

— Dziś ma pani zmywanie z głowy — mówię szybko. — Ja cioci pomogę.

Stasiowa nawet na mnie nie patrzy. Odwiązuje fartuch, wiesza go na gwoździu z boku kredensu. Zabiera swoją torbę ustawioną na parapecie kuchennego okna i wychodzi przez drzwi prowadzące do ogrodu. Dziabię widelcem jajka. Żółtko pęka, rozlewa się między ziemniakami. Rozgniatam je razem z nimi. Ciotka gotuje wodę, robi herbatę dla mnie i kawę dla siebie. Wszystko ma swoje granice. Teraz już żebym miał pęknąć, więcej o tatę nie zapytam. W ogóle powinienem sobie stąd iść i zostawić ją samą. Tyle tylko, że trochę mi szkoda tych ziemniaków z jajkiem i kefirem, bo są całkiem niezłe.

Ciotka przynosi do stołu kubki z herbatą i kawą.

— Dużo ci nie powiem, bo nie poznałam go zbyt dobrze — mówi, siadając za stołem.

— Kim jest? — pytam, przełykając ostatni kęs i popijając go resztką kefiru. — Dobre było, dziękuję.

— Średni obiad. Ale jutro zjesz lepszy, obiecuję — ciotka upija łyk kawy, odstawia filiżankę i odzywa się po chwili milczenia: — Twój tata przyjechał tu do pracy.

— Do pracy? Gdzie? Do Brzegu?

— Nie, do nas. Do „Wysokiego Klifu".

— A skąd przyjechał? — pytam.

— Nie wiem. Z tego, co się zorientowałam, twój tata dużo jeździł po Polsce i pracował raz tu, raz tam.

— A co robił tutaj?

— Remontował pawilon w ogrodzie. Wcześniej była tam obora, składzik na opał i różne graty.

Pawilon! Całkiem o nim zapomniałem, jeszcze go nie zwiedziłem!

— Czyli był budowlańcem? — pytam.

— Nie do końca. Mówił, że studiuje, ale trochę był za stary na studia, moim zdaniem.

— A co studiował?

— Nie wiem.

— A jaki był?

— Wysoki. Miał ciemne włosy. Jesteś do niego podobny. Był bardzo uparty i niewiele się uśmiechał. Nie całkiem rozumiałam, co twoja mama w nim widziała, no ale w takich sprawach rozum niewiele ma do powiedzenia. Mieszkałyśmy tu wtedy we trzy, bo nasz tata zmarł wcześniej. Byłyśmy tylko mama, Krystyna i ja. Prowadziłyśmy same „Wysoki Klif".

— I co było dalej?

— Twoja mama zaczęła się z nim spotykać, a nasza mama, to znaczy twoja babcia, była z tego powodu bardzo niezadowolona. W sumie mieszkał u nas niecały miesiąc. Ale twoja mama bardzo się w nim zakochała, a on poprosił ją o rękę i postanowili się pobrać, więc chociaż babci to się nie podobało, nic nie mogła zrobić.

— I co się stało?

— Nie wiem. Tamtego dnia, gdy mieli jechać do urzędu stanu cywilnego, po prostu zniknął. Najdziwniejsze, że nawet nie zabrał swoich rzeczy ani dokumentów. Zupełnie nic. Jakby się rozpłynął w powietrzu. Poszedł na piętro, do pokoju Krystyny, żeby przebrać się do ślubu, a potem żadna z nas już go nie widziała.

— To strasznie dziwne! — wołam. — Przyjechała policja?

— Przyjechała. Mama nie chciała ich wzywać, ale Krystyna się uparła. Zabrali jego dokumenty, część rzeczy. Wypytywali sąsiadów. Zrobiła się sensacja. Ale go nie znaleźli i niczego się nie dowiedzieli.

— A co było potem? — pytam z przejęciem.

— Twoja mama ciągle płakała. Prawie nie wychodziła ze swojego pokoju. A potem się okazało, że ty... Że będziesz. Strasznie pokłóciła się z naszą mamą, powiedziały sobie dużo przykrych rzeczy. Uważała, że twój tata uciekł przez to, że babcia była dla niego niedobra, ale to na pewno nie dlatego. Jednak twojej mamie nie można było niczego wtedy przetłumaczyć. Obraziła się na babcię, a do mnie miała żal, że nie stanęłam po jej stronie. Może trzeba było, nie wiem już sama... Spakowała walizkę i wyjechała. A potem zobaczyłam ją dopiero w szpitalu w Warszawie, po tym jak zadzwonili do mnie z banku.

— Z banku? — dziwię się. — Z jakiego banku?

— Z tego, w którym twoja mama wzięła kredyt na mieszkanie. Kredyt był ubezpieczony, podała w dokumentach moje nazwisko, żeby zawiadomiono mnie w razie kłopotów. Dlatego tak późno przyjechałam — zadzwonili do mnie dopiero w sierpniu, kilka tygodni temu. I to wszystko. Chciałbyś wiedzieć coś jeszcze?

— Tak! — odpowiadam natychmiast. — Chciałbym wiedzieć...

Od czego zacząć? Chciałbym wiedzieć, czy ten mój tata był fajny. Chciałbym wiedzieć, co mówił, co myślał. Czy cieszył się, że będzie moim tatą, czy w ogóle wiedział, że nim będzie? Ciotka patrzy na mnie cierpliwie znad okularów, a ja wpatruję się bezradnym wzrokiem w talerz po ziemniakach z jajkiem.

— Chciałbym wiedzieć, co lubił — mówię wreszcie.

— Co lubił? — pyta ciotka. — W jakim sensie?

— No, w ogóle.

— Nie wiem — wzrusza ramionami. — Mówiłam ci, że nie poznałam go dobrze. Nawet nie pamiętam, o czym rozmawialiśmy, zresztą chyba nigdy nie rozmawiałam z nim dłużej.

Zerkam na nią spode łba z zawodem. Widzi to, robi strapioną minę i po chwili dodaje:

— Lubił zupę owocową. Pamiętam, jak o tym mówił. Nasza mama robiła bardzo dobrą zupę owocową. Z czereśni i truskawek, rosły wtedy jeszcze w ogrodzie. Bardzo mu smakowała i zawsze prosił o dokładkę.

Mój tata miał na imię Łukasz tak jak ja. Był wysoki, miał ciemne włosy, rzadko się uśmiechał. Potrafił przerobić oborę na mieszkanie. I lubił zupę owocową. To wszystko, co o nim wiem. Niedużo. Ale zawsze coś — biorąc pod uwagę to, że przez dwanaście lat nie wiedziałem zupełnie nic. Gdybym mógł jeszcze go zobaczyć...

— Ciociu, a nie masz jakiejś jego fotografii?

Ciotka kręci głową i zamyśla się na moment.

— Ale wiesz co? Policja nie zabrała wtedy wszystkich jego rzeczy. Pamiętam, że zostały jakieś książki i kurtka. Jeśli Krystyna nie zabrała ich ze sobą, pewnie są na strychu. Mama wszystko chowała, na strychu są nawet nasze zeszyty ze szkoły i tornistry, widziałam je niedawno.

Zrywam się z krzesła, zupełnie zapominając o mojej nodze. Piorun przeszywa moje kolano i krzyczę cicho.

— Łukasz! — ciotka Agata natychmiast jest przy mnie. — Uważaj!

Wciągam głęboko oddech i czekam, aż ból minie. Teraz już mija szybciej niż parę miesięcy temu, da się wytrzymać.

— Jest okej — udaje mi się wymamrotać i silniejszym głosem dodaję: — Chodźmy.

— Jutro pójdziemy — mówi ciotka. — Dzisiaj odpocznij. Mam mnóstwo roboty. Muszę pozmywać, a o szóstej zwalnia się czwórka i dwadzieścia cztery. Trzeba będzie posprzątać.

— Mogę ci pomóc! Przynajmniej w zmywaniu.

— Dobrze — ciotka uśmiecha się do mnie uśmiechem mojej mamy.

Tego popołudnia dochodzę do wniosku, że chyba trochę ją lubię.

Następnego dnia zaraz po śniadaniu wyprawiamy się oboje na strych. Jakoś udaje mi się wdrapać na górę po wąskich, skrzypiących schodach. Strych jest olbrzymi, zakurzony, pełen starych mebli, jakichś kartonów, koszy i walizek. Słońce sączy się przez zamglone szyby małych okienek, w promieniach tańczą miliony wirujących drobinek kurzu. Oglądam ubrania, które nosiły mama i Agata, gdy były małe. Nie potrafię sobie wyobrazić mojej mamy w tak małych sukienkach, a już spodnie, które pokazuje mi ciotka, wprawiają mnie w osłupienie. Podobno mama sama je uszyła — nogawki są rozszerzane na dole i mają wyhaftowane kolorowe kwiatki oraz coś, co wygląda jak emblemat mercedesa. Ciotka tłumaczy, że to pacyfka — symbol hipisów. Moja mama była hipiską? Moja mama, która do pracy zakłada szare lub czarne sukienki i chodzi w szpilkach? To mi się nie mieści w głowie. Potem ciotka Agata pokazuje mi stare lalki, którymi bawiła się kiedyś razem z moją mamą. Lalki mają włosy rosnące w kępkach i są sztywne. Ich kolana i łokcie nie zginają się. Dwie po przechyleniu zamykają oczy. Szczerze mówiąc, robią na mnie trochę upiorne wrażenie — jak można bawić się czymś takim? Wolałbym misia — oczywiście, gdybym jeszcze był mały i bawił się zabawkami. Udaje nam się odnaleźć książki mojej mamy — same dziewczyńskie. Ale rzeczy taty nie ma.

— To dziwne — mówi ciotka. — Jestem pewna, że mama by ich nie wyrzuciła. Może Krystyna zabrała wszystko ze sobą?

Jeśli tak, to nic o tym nie wiem. Ciotka wstaje, otrzepuje spódnicę i zamyśla się.

— Chyba że... Poczekaj.

Podchodzi do drabiny ustawionej obok komina, przenosi ją na środek i opiera o belkę sufitu. Przyglądam się jej, bo nie bardzo rozumiem... Ach, tak! Mówiła mi, że strych ma dwa poziomy! Agata wspina się na drabinę, podpiera klapę z desek i w suficie otwiera się prostokątny otwór prowadzący na wyższy poziom. Nie ma nawet mowy, żebym dał radę tam wejść. Ciotka znika na górze, słychać jej kroki na deskach, belki trzeszczą, a spomiędzy nich osypują się w dół strużki kurzu. Czekam, niemal wstrzymując oddech. Trwa to strasznie długo. Ciocia przestawia jakieś klamoty, przeciąga coś po podłodze.

— Mam! — woła wreszcie.

W prostokątnym otworze pojawia się jej głowa. Miodowe promienie słońca wpadające przez okienka wyższego poziomu strychu podświetlają ją z tyłu, otaczając jej głowę złotą aureolą potarganych włosów. Ma rozmazane, ciemne smugi na policzkach i przekrzywione okulary. Wygląda zabawnie, szczególnie z tą triumfalną miną.

— Łap! — mówi, zrzucając w moje ramiona coś miękkiego i ciężkiego.

To kurtka! Kurtka mojego taty! Jest zapinana na guziki, uszyta z powycieranej, trochę popękanej skóry. Ma kolor kasztanów, które zbierałem z mamą jesienią, dwa lata temu, w Łazienkach. Pachnie tytoniem i kurzem. Mój tata nosił tę kurtkę. Serce bije mi mocno, gdy powoli wsuwam ręce w rękawy i zakładam ją na siebie. Jest na mnie o wiele za duża. Ale przecież rosnę. Wsuwam rękę do kieszeni i trafiam palcami na jakiś podłużny, metalowy przedmiot. Scyzoryk! Trochę zardzewiały, ale całkiem niezły. Ma rękojeść obłożoną mieniącym się perłowo, niebieskim plastikiem o metalicznym połysku. Scyzoryk mojego taty! Szybko sprawdzam pozostałe kieszenie. Znajduję w nich jakieś zmięte papierki, chusteczkę higieniczną, kawałek sznurka, kilka śrubek. Nic nadzwyczajnego. Ale scyzoryk to już coś! Chowam go z powrotem i stawiam kołnierz kurtki.

— Łukasz! Trzeba ją najpierw wyczyścić! Jest brudna — ciotka schodzi ostrożnie po drabinie w dół.

— Nie trzeba. Wcale nie jest brudna. Nawet się nie zakurzyła.

— Bo mama schowała ją do walizki. Ale leżała tyle lat na strychu, coś w niej mogło się zalęgnąć. Mole albo jakieś robactwo.

— Nic się nie zalęgło. Jest idealna.

Ciotka uśmiecha się, od stóp do głowy mierzy mnie wzrokiem znad okularów.

— Świetnie ci w niej — mówi wreszcie. — Wyglądasz zupełnie jak twój tata.

Uśmiecham się do niej w odpowiedzi i jestem pewien, że naprawdę ją lubię.

Zmienię jednak zdanie już po niecałej godzinie, a wypadki zaczną nabierać tempa.

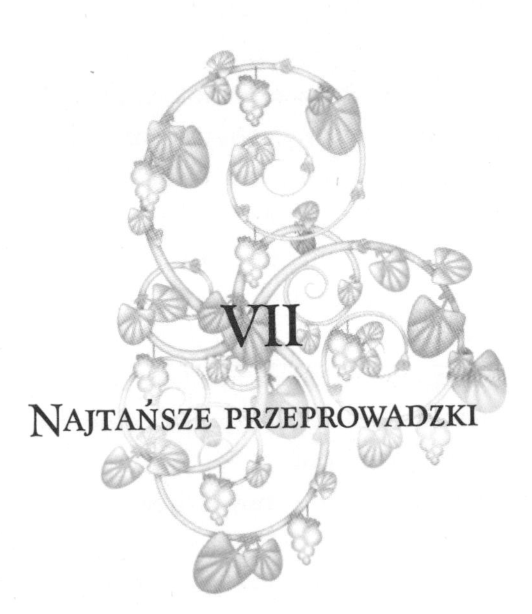

VII

Najtańsze przeprowadzki

-Panowie, musicie przejechać dookoła! — ciotka miota się na parkingu, na którym stoi jakaś ciężarówka. — To wszystko trzeba powznosić do pawilonu w ogrodzie!

Wychodzę na ganek i przyglądam się ciężarówce. Z boku ma napis „Najtańsze przeprowadzki", ale przecież ciotka się nie przeprowadza. Pewnie przywieźli jakieś meble dla wczasowiczów, najwyższa pora. Obejrzałem kilka pokoi dla gości i graty, które w nich stoją, prawie nie nadają się do użytku, moim zdaniem.

Ciężarówka wycofuje się na ulicę i objeżdża posesję, a ciotka Agata sprintem biegnie do ogrodu. Opieram kulę o barierkę ganku, owijam się ciaśniej kurtką taty i patrzę na wzburzone morze. Wieje chłodniejszy wiatr. Niebo jest zasnute chmurami, ma identyczny kolor jak morskie fale. Nie wiadomo, gdzie kończy się woda, a gdzie zaczyna niebo, widać tylko nieskończoną, srebrzystą pustkę za żółtą poręczą na krawędzi klifu. Lato minęło. Pochylam głowę i chowam nos między połami kurtki.

— Mówiłem ci, kulasie, żebyś nie wychodził na ulicę! — podskakuję przestraszony, gdy kilka metrów ode mnie rozlega się piskliwy głos Pchełki.

Siedział za krzakami przy wjeździe na niewielki parking „Wysokiego Klifu". Czekał na mnie. Odruchowo sięgam po kulę.

— Nie jestem na ulicy — odpowiadam szybciej, niż udaje mi się nad tym pomyśleć.

A to błąd. Powinienem powiedzieć coś w rodzaju: jak będę chciał, to wyjdę. Albo od razu go zwyzywać. Albo — najlepiej — nie mówić nic. To, co powiedziałem, zabrzmiało, jakbym się tłumaczył czy usprawiedliwiał. Jakbym się bał. No, bo w sumie trochę się go boję, fakt. Ale nie powinienem tego zdradzać, bo będę miał przechlapane i już nie przestanie się na mnie wyżywać.

— Chodź no tu! — nakazuje Pchełka, przyglądając mi się ze złośliwą miną na tłustej gębie.

Dziś ma na sobie bluzę z kapturem i tę samą, białą baseballówkę. Bluza na moje oko ma rozmiar XXXXL — gdybym wetknął w nią kij od mopa, a drugi koniec wbił w ziemię, wyszedłby całkiem niezły namiot.

— Spadaj, grubasie — mówię.

— Żebyś ty nie spadł, kulasie! — wykrzykuje Pchełka, zaciskając pięści. — Tylko wyjdź na ulicę, to zobaczysz!

— Nic nie zobaczę — mówię, siląc się na pogardliwy ton. — Bo wszystko zasłaniasz, ty góro tłuszczu.

— Ja cię dorwę! Jeszcze cię dorwę, zobaczysz! Przekonasz się! Ty... ty połamańcu popaprańcu! — wykrzykuje piskliwie Pchełka.

Przyglądam mu się uważnie z wysokości ganku. Mam jednak pewną przewagę. Już wiem, że Pchełka ma czuły punkt – wstydzi się tego, że jest gruby. Ma też słabość – za łatwo się wkurza. Z drugiej jednak strony sprawia to, że może być nieprzewidywalny i niebezpieczny. Kiedy ludzie się wściekają, przestają myśleć rozsądnie. Wiem to dobrze, bo sam niekiedy miewam kłopoty z panowaniem nad sobą. Mama czasami mówiła mi, że jestem strasznym złośnikiem.

– Odejdź. Zanim Greenpeace przyjedzie i wciągnie cię do morza razem z innymi wielorybami wyrzuconymi na brzeg – cedzę, chociaż dobrze wiem, że nie powinienem bardziej go drażnić.

– Dorwę cię! – pieni się Pchełka. – I spuszczę ci łomot twoją własną laską!

– Wieloryb – odpowiadam spokojnie.

– Jesteś już trupem! – wywrzaskuje Pchełka.

– Wieloryb – odpowiadam.

Pchełka robi się tak czerwony na twarzy, że niemal krew mu z niej tryska. Na razie nie rusza się spod krzaka, bo nie przyjdzie przecież, żeby mnie stłuc na ganku mojego własnego domu. Ale jeśli przesadzę, może mu odjąć rozum do reszty, a wtedy...

– Ty... Ty... – zaczyna się jąkać.

– Wieeeeeeloooryyyyyyb – odpowiadam śpiewnie, naśladując sposób, w jaki rozmawiała z wielorybami Dory, przyjaciółka Nemo z kreskówki.

Pchełka pieni się jak coca-cola w potrząśniętej puszce, a ja zaczynam mieć już tego dosyć. Sytuacja jest patowa – możemy się tak obrzucać obelgami do jutra. Wiadomo, że ani ja nie zejdę na dół, ani on nie wejdzie na teren

„Wysokiego Klifu". Już mam się odwrócić, żeby wejść do domu, gdy Pchełka jednak wpada na pomysł. Schyla się nagle, podnosi kamień leżący pod krzakiem, bierze zamach i rzuca go w moją stronę. Kamień przelatuje przez parking i uderza mnie w stopę. Lekko, prawie nie poczułem, ale Pchełka schyla się znowu i bierze następny — tym razem większy.

— Ty jesteś jakiś psychiczny! — wykrzykuję, cofając się o krok w stronę drzwi.

— I co teraz? — pyta Pchełka, uśmiechając się krzywo i podrzucając kamień w tłustej dłoni.

— Powiem! — odkrzykuję.

— Do domu! Ale już — wydziera się Pchełka. — I nie pokazuj mi się na ulicy!

Bierze szeroki zamach. Pewnie tylko blefuje, ale wolę nie czekać, żeby się przekonać. Siląc się na spokój, otwieram drzwi i wchodzę do pensjonatu. Ten pojedynek przegrałem. Dobiega mnie rechot Pchełki. Niech mama wreszcie się obudzi i mnie stąd zabierze!

Kuśtykam przez jadalnię do biura ciotki, żeby zadzwonić do szpitala, bo doładowanie na karcie już mi się skończyło, a nie mam zamiaru prosić ciotki o pieniądze. Udaje mi się porozmawiać z pielęgniarką — dziś znowu odbiera ta z lokami. Ma lekko znudzony głos. Z mamą bez zmian. Wzdycham ciężko, odkładając słuchawkę. Co dalej? Nie ma jeszcze dwunastej. Wychodzę na korytarz i przypomina mi się ciężarówka z meblami. Postanawiam je obejrzeć. Idę przez kuchnię do tylnego wyjścia i wychodzę do ogrodu. Akurat, kiedy panowie w czerwonych kombinezonach wyciągają z ciężarówki białą kanapę, a ciotka biega dookoła nich nerwowym truchtem i udziela różnych porad – z której strony powinni chwycić, jak obrócić mebel. Mężczyźni nie wyglądają na zachwyconych. To może być zabawne. Podpieram się kulą i podchodzę bliżej. Nagle dociera do mnie, że znam tę kanapę i że nieraz na niej siedziałem. Przez moment nie rozumiem, o co w tym wszystkim chodzi – spoglądam osłupiałym wzrokiem na napis „Najtańsze przeprowadzki" i nagle dociera do mnie, że to nie ciotka się przeprowadza, tylko ja. Ciężarówka przywiozła nasze meble i rzeczy z mieszkania w Warszawie.

– Łukasz, uspokój się – ciotka próbuje położyć mi rękę na ramieniu, ale odtrącam ją gwałtownie.

– Nie miałaś prawa! – wykrzykuję. – Mama ci zrobi aferę, kiedy się obudzi, zobaczysz!

– Łukasz...

– To nie są twoje rzeczy, tylko nasze! Co będzie, jak mama obudzi się, przyjedzie do domu i zobaczy, że nic nie ma?!

– Łukasz, przecież...

– Dlaczego zabrałaś nasze meble?! Kto ci pozwolił?! – wykrzykuję, otwierając szeroko oczy, żeby powstrzymać napływające do nich łzy.

– Łukasz! – ciotka podnosi głos. – Przestań histeryzować!

– Ja nie histeryzuję!!! – drę się. – Dlaczego zabrałaś sobie nasze rzeczy z naszego mieszkania?!

– Bo mieszkania już nie ma! Bank wystawił je na licytację, rozumiesz? – oznajmia ciotka. – Trzeba było zabrać rzeczy, których nie zajął komornik!

— Komornik? Jak to mieszkania nie ma? Coś ty zrobiła? — wyjąkuję osłupiały.

— Łukasz, raty były za wysokie. Odkąd twoja mama jest w szpitalu, dostaje za mało pieniędzy, żeby można było je spłacać.

— Przecież mama pracuje! Nie jestem głupi! Wiem, że jak ktoś pracuje i jest chory, to dostaje zwolnienie z pracy, ale ciągle ma pensję! — mówię gorączkowo.

— Twoja mama nie była na etacie, tylko prowadziła własną działalność gospodarczą, a to... Zrozumiesz, jak będziesz większy! Mama dostaje pieniądze z ZUS-u, ale jest ich za mało, żeby spłacać kredyty za mieszkanie, samochód i za różne rzeczy, które dla was kupiła!

— Nieprawda!

— Łukasz, przecież to są wasze meble. Są tu tylko na przechowanie. Jeśli Krystyna... Urządzimy ci twój pokój, chcesz? Będziesz miał swoje łóżko i szafki. I biurko! Przyda się, gdy pójdziesz do szkoły.

— Do jakiej szkoły? — pytam, a żołądek zaciska mi się w zimną kulkę.

— No, do szkoły. W Kamieniu, tam jest gimnazjum. Wszystkie dzieci z Brzegu chodzą do szkoły albo do gimnazjum w Kamieniu.

— Ja nie jestem z Brzegu — mówię powoli.

— Na razie jesteś. I musisz chodzić do szkoły.

Ciotka przygląda mi się znad okularów ze ściągniętymi brwiami, a ja czuję, że po policzku płynie mi pierwsza łza. Zaraz się rozbeczę — ze złości i z bezsilności. Ale ona pewnie pomyśli, że to dlatego, że jestem dzieckiem! Nie dam jej tej przyjemności. Odwracam się za szybko, błyskawica w kolanie tylko na to czeka — ból przeszywa mnie aż do biodra, ale zaciskam szczęki z całej siły i nic nie mówię. Mocniej chwytam kulę i wchodzę do domu. Ciotka zostaje w ogrodzie, w którym obcy mężczyźni w czerwonych kombinezonach rozstawiają nasze rzeczy. Oglądam się przez ramię akurat w chwili, kiedy jeden z nich, stojący w budzie ciężarówki, zrzuca na ziemię niebieski, plastikowy worek. Worek pęka i na trawę sypią się buty mojej mamy. Mama ma dużo butów. Wszystkie stały na specjalnych półkach z drewnianych drążków w garderobie. Bardzo o nie dbała. Nigdy w życiu nie wrzuciłaby ich wszystkich razem do plastikowego worka! Z całej siły zatrzaskuję za sobą drzwi i kuśtykam do pokoju za niebieskimi drzwiami. Tym razem pamiętam, żeby przekręcić klucz pod klamką.

Nie wyjdę stąd, żeby nie wiem co. Umrę z głodu i ciotka będzie żałowała, ale oczywiście będzie już za późno. Kładę się na łóżku i wbijam wzrok w mapę zacieków na suficie. Coś się zmieniło... Marszczę czoło i przyglądam się uważniej. Wydawało mi się, że zaciek ma kształt kontynentu albo strzałki, ale teraz bardziej przypomina piorun. Dałbym głowę, że przedtem wyglądał inaczej... Nieważne.

Najchętniej bym stąd uciekł, pojechał do Warszawy. Do mamy, nawet do Cebulki. U Cebulki było mi lepiej. Ale jak mam uciec? Agata złapie mnie, zanim uda mi się dokuśtykać do przystanku. Nie mówiąc o tym, że nawet nie mam na bilet. Jeżeli ona sobie wyobraża, że będę chodził do jakiegoś głupiego gimnazjum w jakimś głupim Kamieniu, to grubo się myli! Ja przecież mam swoją szkołę, w Warszawie. A tu... Nagle dociera do mnie, że te dzieciaki na deskorolkach, że ten grubas Pchełka — oni też muszą chodzić do tej szkoły w Kamieniu. Że musiałbym jeździć z nimi autobusem — dzień w dzień. „Jesteś już trupem, dorwę cię". Tak powiedział. Zaciskam powieki i czuję, jakbym spadał z wielkiej wysokości. Z krawędzi klifu prosto w lodowate, huczące, zielone fale.

— Łukasz? Można? — głos ciotki rozlega się za drzwiami.

Zielone, chłodne fale w dole pode mną zmieniają się w falę wściekłości, która zalewa mnie całego w ułamku sekundy. Czy ona nigdy nie da mi spokoju? Siadam na łóżku i patrzę na niebieskie drzwi. Dobrze, że pamiętałem o kluczu. Ciotka puka.

— Łukasz?

Głupia ciotka z tym jej ciągłym głupim pukaniem. Zapukaj do drzwi, zapukaj — pamiętaj... A ja nie będę!

Przez chwilę mam ochotę rzucić czymś w te drzwi. Z całej siły. Krzesłem na przykład.

— Łukasz? Można? — pyta ciotka.

Podnoszę się z łóżka i skacząc na jednej nodze, zbliżam się do drzwi.

— Jesteś tam? Łukasz?

Puka. Znowu puka. Stoi po drugiej stronie drzwi i nasłuchuje. Szpieguje mnie. I nagle — chociaż wiem, że to dziecinne — podnoszę rękę, zginam palec i zaczynam pukać z mojej strony w drzwi. Z całej siły, aż boli. Pukam i pukam — jak dzięcioł.

— Łukasz, co... — ciotka naciska klamkę, ale przecież drzwi są zamknięte na klucz. — Otwórz, co ty wyprawiasz?

A ja nic nie mówię, tylko zaczynam pukać jeszcze mocniej. Raz, raz, raz... Coraz szybciej.

— Zachowujesz się jak dziecko! — ciotka szarpie klamką. — Otwórz te drzwi!

Dalej milczę, zgryzając dolną wargę i pukając do swoich własnych drzwi najszybciej i najmocniej, jak umiem.

Nawet gdybym chciał, to nie umiem przestać. Nie mam pojęcia, jak długo to trwa. Ciotka mówi coś do mnie, ale nie słucham, nic do mnie nie dociera. Pukam do niebieskich drzwi i cała wściekłość, cała bezsilność spływa do mojej dłoni i wsiąka w drewno — kropla za kroplą z każdym uderzeniem. Czuję to, cała ręka mnie mrowi.

— Łukasz!

Zmieniam tempo i wystukuję jakąś melodię, nawet nie pamiętam, co to za piosenka. Puk — puk, puk. Puk — puk, puk. Bam! Uderzam w drzwi otwartą dłonią i znowu pukam. Puk — puk, puk. Puk — puk, puk. Bam! Bam! Bam!

I nagle — w ułamku sekundy — coś się się zmienia. Właściwie nie potrafię nawet określić co... Dźwięk, jaki wydaje moja ręka uderzająca w drewno zmienia się, staje się bardziej głuchy niż przed chwilą. Powietrze gęstnieje, czuję, że elektryzują mi się włosy. Głos ciotki milknie jak ucięty nożem... Zatrzymuję dłoń z wahaniem i cofam ją. Przybliżam ucho do niebieskich drzwi. Cisza. A właściwie nie cisza, tylko szum. Zupełnie jakby szumiało morze albo wiatr w koronach drzew. Może to z dworu? Spoglądam w stronę okna i widzę gałęzie drzew w ogrodzie. Są prawie zupełnie nieruchome. To nie z dworu...

Odsuwam głowę, przez chwilę spoglądam na drzwi. Wreszcie wyciągam rękę i kładę dłoń na klamce. Naciskam ją wolno, zapomniałem, że przecież zamknąłem drzwi na zamek. Już mam sięgnąć do klucza, kiedy zapadka zwalnia i drzwi lekko się uchylają. Przez szczelinę między nimi a futryną do pokoju zaczyna sączyć się jasna, delikatna poświata, a szum przybiera na sile. Kamienieję na ułamek sekundy, a potem powoli przyciągam do siebie klamkę i otwieram niebieskie drzwi na oścież.

VIII

Srebrny świat za niebieskimi drzwiami

Za niebieskimi drzwiami nie ma mrocznego korytarza pierwszego piętra pensjonatu „Wysoki Klif". W ogóle nie ma żadnego pomieszczenia. Za niebieskimi drzwiami jest łąka. A nawet nie tyle łąka, ile ogród. Chociaż takiego ogrodu nie widziałem nigdy w życiu.

Przysuwam się bliżej futryny i staję w progu, baranim wzrokiem gapiąc się w przestrzeń otwierającą się przede mną. Porasta ją delikatna, miękka trawa. Jest zielona, ale to zupełnie inny odcień zieleni niż ten, który ma zwyczajna trawa porastająca trawniki. Ta zieleń jest niemal turkusowa, prawie błękitna i pokryta leciutkim, srebrzystym nalotem. Błękitna łąka rozpościera się za progiem — tam, gdzie powinna być podłoga i wytarty, czerwony chodnik. Przenoszę wzrok wyżej. Za łąką rosną drzewa i krzewy. Ich liście także mają srebrzystoturkusowy kolor. Nawet stąd widzę, że ich kształt też jest inny niż ten, do którego przywykłem. Nie są podłużne, tylko okrągłe — niczym monety. Szare pnie z jedwabistym połyskiem są powykręcane jak korkociągi, gałęzie przypominają sprężyny. A nad koronami drzew... Nad koronami drzew rozpościera się niebo, na którym świeci słońce. Jest trzy- albo czterokrotnie większe niż nasze słońce, ale jego blask ma srebrzysty odcień i jest znacznie słabszy, niż powinien być blask słońca w samo południe. A południe właśnie minęło. Niebo ma fiołkowy kolor, gdzieniegdzie widać na nim pierzaste, szare obłoczki. Co to jest?! Gdzie to jest? Opieram się rękami o futrynę i wystawiam głowę na zewnątrz pokoju. Po drugiej stronie drzwi nie są osadzone w żadnej ścianie! Nawet nie mają futryny — to po prostu prostokątny otwór stojący w turkusowej trawie... Powietrze jest suche i ciepłe. Przypomina mi trochę powietrze na strychu w letni dzień, tyle tylko, że nie czuję zapachu kurzu, ale jakiś inny, delikatny, który przywodzi mi na myśl puder, którego używa moja mama. Cofam się szybko do pokoju, nie odrywając oczu od ogrodu.

Zwariowałem. Pewnie przez to wszystko, co się stało. A może przez wypadek? Może uderzyłem się w głowę, a lekarze nic nie zauważyli? Przecież to, co widzę, jest niemożliwe...

Nisko nad turkusowosrebrną trawą leci ptak. Nie, to nie ptak... Przyglądam mu się, marszcząc brwi. Przypomina trochę ważkę, ma cztery podłużne, przezroczyste, opalizujące skrzydła. Sunie powoli, unosząc się pół metra nad murawą. Jego skrzydła uderzają znacznie wolniej niż skrzydła owada. Ciało ważkowatego ptaka porastają szarosrebrzyste piórka, które mienią się perłowo niczym wnętrze muszli. Głowa jest zakończona krótkim, żółtym, zakrzywionym dziobem, trochę podobnym do dzioba papugi, a oczy... kształtem przypominają ślepka chomika albo świnki morskiej. Są nieduże, błękitne i szeroko rozstawione. Ptak rozgląda się, zniża i nurkuje w trawie. Po chwili wzbija się znowu w powietrze, trzymając w przednich łapkach coś, co wygląda jak srebrny kłos jakiegoś zboża. Zawraca i odlatuje w bok. Po chwili znika z mojego pola widzenia.

Oszalałem. Jak ludzie w filmach. Albo nie... Być może niebieskie drzwi to portal prowadzący do innego świata. Jak w bajce. Albo jak w jakimś filmie właśnie. Świat równoległy...

Błękitnawe drzewa o okrągłych liściach szumią w oddali, srebrzysta trawa szeleści na wietrze, który pachnie pudrem mojej mamy, a postrzępione obłoczki wolno przesuwają się po fiołkowym niebie. Przełykam głośno ślinę i po omacku sięgam do klamki. Za dużo tego, mam dosyć. Szybkim ruchem zamykam drzwi. Zapadka klamki z cichym szczęknięciem wskakuje w otwór w futrynie. Odwracam się i opieram plecami o drzwi. Serce mi wali...

— Łukasz, przestań się wygłupiać! — głos ciotki rozlega się nagle tuż za moim uchem.

Podskakuję z przestrachu i błyskawicznie odsuwam się od drzwi. Zbyt szybko — niechcący opieram się na lewej nodze i piorun bólu uderza z taką siłą, że aż ciemnieje mi w oczach.

Ciotka znowu szarpie za klamkę.

— No, Łukasz! Otworzysz wreszcie czy nie?! — krzyczy. — Czekaj, ja ci dam! Schodzę teraz na dół po zapasowy klucz! Ale dobrze ci radzę, lepiej dla ciebie, żebym nie musiała go użyć!

Łapię oddech, odliczam w myśli i czekam, aż ból przygaśnie. Raz, dwa, trzy, cztery... Mija, zanim udaje mi się doliczyć do piętnastu. Nie jest źle.

Naciskam klamkę — drzwi są zamknięte na klucz. Przekręcam go w zamku. Drzwi otwierają się, a za nimi jest korytarz „Wysokiego Klifu". Przez chwilę czuję żal. Srebrzysty ogród był piękny, dociera to do mnie dopiero teraz. Szkoda, że do niego nie wszedłem. Nie wiadomo, czy nie był tylko złudzeniem. A nawet jeśli nie był — nie wiadomo, czy uda mi się jeszcze kiedyś otworzyć przejście do niego. Chociaż skoro udało się raz, pewnie uda się i drugi. Trzeba spróbować — ale nie teraz, bo na schodach już rozlegają się kroki wracającej na górę ciotki.

Wieczorem, gdy leżę już w łóżku, długo nie odrywam wzroku od niebieskich drzwi. Najchętniej spróbowałbym otworzyć je na tamten drugi świat już teraz, ale przecież nie mogę zacząć stukać o tej porze — ciotka natychmiast by przyleciała. Przemyślałem sprawę dokładnie — właściwie nie myślałem dziś o niczym innym — to musi być związane z pukaniem. Trzeba pukać odpowiednio długo i w odpowiedni sposób. A może ma to związek z melodią, którą wystukałem? Kto wie. Na szczęście pamiętam ją dokładnie. Spróbuję jutro — ciotka mówiła, że po południu jedzie do Kamienia załatwić moją szkołę i coś tam jeszcze w banku. Niech sobie załatwia, nic mnie to nie obchodzi. Jeśli mam rację i jutro uda mi się otworzyć drzwi do srebrzystego ogrodu, droga ucieczki z Brzegu stanie przede mną otworem.

Przed południem z pensjonatu wyjeżdżają ostatni goście. Stasiowa pomaga ciotce posprzątać pokoje. Nie mogę sobie znaleźć miejsca, kręcę się w korytarzu, czekając, aż skończą i wyniosą się z domu.

— Stasiowa, niech Stasiowa zaniesie pościel do pralni — komenderuje ciotka. — Ja się wezmę za łazienkę.

— Mogę zanieść, czemu nie. Ale łazienki to miała być moja rzecz wedle umowy.

— No to dziś Stasiowa ma premię — odpowiada ciotka. — Ja za Stasiową posprzątam.

— Jak pani chce. Ale żeby mi potem pani nie powiedziała, że jak łazienki nie sprzątnęłam, to mi się mniej należy.

— A czy ja kiedykolwiek tak Stasiowej powiedziałam?

— Kiedyś zawsze przychodzi ten pierwszy raz — oświadcza Stasiowa i wychodzi na korytarz.

— Dzień dobry — mówię do niej z maksymalnie grzecznym uśmiechem.

— Dla jednych dobry, dla drugich mniej — odpowiada Stasiowa cierpkim tonem i schodzi z naręczem pościeli do holu na parterze.

Mam wrażenie, że wszyscy, którzy mieszkają w Brzegu, są niemili. Aż mi się nie chce wierzyć, że moja mama, która jest taką fajną, sympatyczną osobą, urodziła się tu i wychowała! Może Stasiowa mnie nie lubi? Ale dlaczego? Przecież nawet mnie nie poznała i nie wie, jaki jestem.

Idę na dół i siadam na fotelu obok kominka w jadalni. Za oknami jest szaro, mży deszcz — a dwa dni temu było lato i na plaży wszyscy się opalali. Nigdy jeszcze nie byłem nad morzem, gdy kończy się sezon, ale wydawało mi się, że coś takiego nie dzieje się z dnia na dzień. Przecież na pewno będą jeszcze słoneczne, ciepłe dni. Myślałem, że ludzi zostanie mniej, ale że jeszcze będą – w końcu dopiero zaczyna się wrzesień. Tymczasem słyszałem rano, jak Stasiowa mówiła ciotce, że nasi goście są już ostatni w całym Brzegu. Czyli teraz zostali sami mieszkańcy. No i ja oczywiście. Gram przez chwilę w solitera na mojej komórce, ale szybko mi się nudzi. W tym aparacie nie ma żadnych innych gier, strasznie stary rupieć. Nie pamiętam, kiedy mama go w ogóle używała. Ostatnio miała iPhone'a tak jak ja, tyle tylko, że białego.

– Zrobię ci obiad – mówi ciotka, wchodząc do jadalni.

– Nie chce mi się jeść, śniadanie było niedawno.

– To ci przygotuję w kuchni i sobie podgrzejesz. Nie wiem, o której wrócę.

– Okej – mówię, wzruszając ramionami.

Tego popołudnia na pewno będę miał ciekawsze rzeczy do robienia niż jedzenie.

Ciotka wychodzi pół godziny później. Przyglądam się przez okno w jadalni, jak wyprowadza furgonetkę na drogę i odjeżdża. Po raz pierwszy zostaję w „Wysokim Klifie" sam. Przez chwilę robi mi się trochę nieswojo, gdy myślę o tych wszystkich pustych pokojach, korytarzach, strychach, składzikach i piwnicach. Ale nie mam czasu się nad nimi zastanawiać. Chwytam mocniej kulę, kuśtykam do fotela i biorę kurtkę taty, która wisi na oparciu. Zakładam ją i ruszam w stronę holu, a po chwili jestem na górze. Otwieram niebieskie drzwi i przyglądam im się dokładniej. Na moje oko nie ma w nich nic nadzwyczajnego – stare, drewniane drzwi, pomalowane niebieską olejną farbą, niezbyt dokładnie zresztą. Ten niebieski kolor to jedyne, co odróżnia je od pozostałych, bo wszystkie drzwi w „Wysokim Klifie" są tylko polakierowane. Z wyjątkiem tych prowadzących do spiżarni — tamte pokrywa biała farba. Kolor chyba nie ma tu nic do rzeczy. Więc co? Zastanawiam się, przyglądam zawiasom, klamce, framudze. Nie zauważam niczego nadzwyczajnego, nic też odkrywczego nie przychodzi mi do głowy. Wchodzę do pokoju, zamykam drzwi za sobą i staję przodem do nich. Zaraz się okaże, czy to, co wczoraj widziałem, tylko mi się wydawało, czy nie. Nabieram tchu, przełykam ślinę i poprawiam kurtkę taty. Włączam stoper na komórce, żeby w razie czego przekonać się, jak długo trwa, zanim przejście się otworzy — o ile oczywiście się otworzy. W końcu wcale nie jest wykluczone, że jednak zwariowałem. Czuję się trochę głupio, ale podnoszę rękę i pukam w malowane na niebieski kolor drewno. Najpierw normalne, regularne stukanie, a potem rytm melodii. Wydaje mi się, że tłukę do drzwi całe wieki, ale nic się nie dzieje. Sprawdzam stoper — minęła zaledwie minuta! Wczoraj na pewno stukałem dłużej... Wzdycham, wyzerowuję stoper i zaczynam jeszcze raz. Zerkam co jakiś czas na ekranik komórki, ale cyfry zmieniają się potwornie powoli. Minuta, dwie. Trzy minuty. Cztery — ręka zaczyna mnie boleć jak nie wiem. Zmieniam rytm i wybijam na drzwiach tamtą melodię. Puk — puk, puk. Bam! Puk — puk, puk. Bam! Piąta minuta. Szósta. Nic się nie dzieje! To do niczego... Uderzam przedostatni raz w drewno. Trudno, najwidoczniej jednak wczoraj miałem jakieś omamy i nic... W tym momencie uderzam po raz ostatni i odgłos się zmienia! Nieruchomieję, wytrzeszczając oczy na drzwi przez moment, ale przypominam sobie o stoperze i zatrzymuję go natychmiast. Siedem minut i dziesięć sekund. Zagapiłem się, trwało to pewnie ze trzy sekundy. Więc czas potrzebny, aby otworzyć przejście, to najprawdopodobniej siedem minut i siedem sekund. Chowam komórkę do kieszeni kurtki, nabieram głęboko tchu i naciskam klamkę. Drzwi ustępują natychmiast. Z mocno bijącym sercem pociągam do siebie ich skrzydło i staję na progu, za którym otwiera się srebrnobłękitny ogród. Trawa, delikatna niczym kocia sierść, faluje lekko na wietrze. Okrągłe liście sprężynowych drzew szeleszczą w oddali, ale nie są wcale tak daleko, jak wydawało mi się wczoraj. Jest tu trochę cieplej niż w naszym świecie. Wciągam do płuc powietrze pachnące pudrem. Mam wielką ochotę wejść do tego ogrodu, dotknąć trawy. Ale co, jeśli nie będę mógł wrócić? Oglądam się przez ramię na pokój. Wczoraj zamknięcie drzwi zamknęło też przejście do ogrodu. Co, jeśli ciotka wróci, przyjdzie na górę, zobaczy, że nie ma mnie w pokoju i go zamknie? Uwięzi mnie w tym srebrnym świecie! Z jednej strony nie mam nic przeciw temu, żeby zostać tam na zawsze — na oko wydaje się całkiem w porządku. Ale czy jest tam coś, co nadaje się do jedzenia? Poza tym, chociaż mieszkanie w „Wysokim Klifie" nie jest czymś, co bardzo bym lubił, to jednak mama może obudzić się w każdej chwili. Nie mogę jej zostawić... Może zablokować wejście krzesłem? Nie, to na nic. Ciotka z łatwością je odsunie, jeśli będzie chciała. Spoglądam na drzwi ze zmarszczonym czołem. Zamek! Wystarczy, że przekręcę klucz, gdy drzwi są otwarte, a nie da się ich już zamknąć — wystająca metalowa zasuwa na to nie pozwoli. Przekręcam klucz i chowam go do kieszeni kurtki, a potem na próbę przymykam drzwi. Stalowa sztabka uderza o framugę i skutecznie je blokuje. Uśmiecham się z zadowoleniem. Dobrze, jeden problem rozwiązany. Czy powinienem coś ze sobą zabrać? Jakąś broń? Może nóż? Ale po nóż musiałbym zejść do kuchni, a na to nie mam wcale ochoty i czasu... Scyzoryk! Przecież mam scyzoryk taty! Wyjmuję go z kieszeni, otwieram i oglądam ostrze. Ma nie więcej niż dziesięć albo dwanaście centymetrów, ale chociaż pokrywają je plamki rdzy, jest całkiem ostre. W razie czego świetnie będę mógł się nim obronić. Scyzoryk wystarczy. A zresztą wejdę do ogrodu tylko na chwilkę, na trzy minuty. Rozejrzę się i wrócę. Poprawiam uchwyt kuli w dłoni, oddycham głęboko przez moment, przekraczam próg i staję w miękkiej, falującej trawie, która sięga mi do połowy łydek.

Ciepły wiatr rozwiewa mi włosy. Jest ciepło, ale nie gorąco. Podnoszę wzrok i spoglądam na niebo, na którym świeci wielka kula bladego słońca. Odwracam się i patrzę za siebie. W powietrzu wisi prostokątny otwór, za którym widać mój pokój. Nie ma ani futryny, ani żadnego obramowania. Dziwne. Obchodzę go ostrożnie. Prostokątny otwór nie ma żadnej grubości, kiedy staję z boku i przymykam jedno oko, po prostu znika. Zaglądam z tyłu — otwór znowu się pojawia, ale nie widać już w nim mojego pokoju, tylko korytarz pensjonatu. Gapię się na niego przez kilka sekund i z wahaniem wyciągam rękę. Moja dłoń wsuwa się w prostokąt gładko, bez żadnego oporu, wyczuwam tylko różnicę temperatur — na korytarzu jest chłodniej niż tutaj. Hm... Jeśli przeszedłbym teraz na korytarz, co zobaczyłbym za sobą? Swój pokój czy ogród? Nie wiem, sprawdzę za chwilę. Odwracam się i patrzę za siebie. Kilka metrów ode mnie są kolejne korkociągowe drzewa — z tej strony rosną bliżej. Stoję na czymś w rodzaju polanki, tyle tylko, że ma ona bardzo regularny kształt, na oko zbliżony do kwadratu. Spoglądam pod stopy. Źdźbła tej dziwnej, delikatnej trawy są bardzo cienkie, niewiele grubsze od włosów. W dodatku rosną niezwykle gęsto — jak futro. Dziwne. Schylam się ostrożnie i udaje mi się ich dotknąć. W dotyku przypominają włosy, uginają się miękko, a kiedy przesuwam po nich palcami, przylegają do mojej skóry — czuję leciutkie wyładowania i trzaski. Zupełnie jak wtedy, gdy dotykam swoich włosów zaraz po zdjęciu przez głowę wełnianego swetra! Ciekawe, jakie są w dotyku drzewa? Nic się chyba nie stanie, jeśli przejdę te parę metrów i sprawdzę... Koniec kuli zagłębia się w trawie, ale ziemia pod nią jest zwarta i sprężysta.

Okrągłe liście zaczynają szumieć głośniej, kiedy wchodzę pod gałęzie najbliższego drzewa. Jego kora jest gładka i pokryta opalizującymi łuskami, które lekko mienią się w promieniach słońca. Przesuwam po niej palcami. Liście szumią jeszcze głośniej, a przez pień przebiega delikatny dreszcz. Natychmiast cofam rękę, ale nic więcej się nie dzieje. Futrzasta trawa porasta ziemię między drzewami tak samo gęsto jak kwadratową polanę. Nie widać żadnych ścieżek. Nagle nabieram wielkiej ochoty, żeby położyć się na ziemi i wtulić w nią twarz. Przymykam oczy i wciągam głęboko ciepłe, pachnące pudrem powietrze. Ten dziwny ogród — trawa, drzewa, ogromne słońce w górze — to chyba najpiękniejsze miejsce, jakie widziałem w życiu. Gdyby mama mogła je zobaczyć... Gdzieś niedaleko rozlega się nagle ciche brzęczenie. Natychmiast otwieram oczy i spoglądam w tamtym kierunku. Między pniami drzew unosi się tamten dziwaczny, ważkowaty ptak, którego widziałem wczoraj. Chociaż nie jestem pewny, czy to na pewno ten sam. Obserwuje mnie! Kiedy na niego spoglądam, chowa się za pniem. Nie wydaje się niebezpieczny...

— Hej! — wołam cicho do niego. — Nie bój się.

Ptak nieruchomieje na ułamek sekundy, zawieszony w powietrzu jak koliber, po czym odwraca się w miejscu, wystrzela niczym z katapulty i znika między drzewami.

Uśmiecham się szeroko, a po chwili wybucham śmiechem na głos. Mam swój własny sekretny, srebrny świat, o którym nikt nie wie!

Prostokąt z przejściem na korytarz „Wysokiego Klifu" nieruchomo wisi w powietrzu za mną. Na dziś chyba mi wystarczy. Ale wrócę tu — może jutro? Gdy tylko ciotka wyjdzie z domu. Zabiorę ze sobą coś do picia i jedzenia, zrobię sobie piknik. Przyniosę też coś dla tego dziwnego ptaka — na przykład kawałek bułki. Może uda mi się go oswoić?

Podpierając się kulą, zbliżam się do przejścia i wychodzę na korytarz „Wysokiego Klifu". Gdy patrzę za siebie, widzę tylko swój pokój. Ogród zniknął. Przechodzę przez próg — od strony pokoju widać już tylko korytarz. Przejście się zamknęło. Wyjmuję z kieszeni klucz i odblokowuję zamek. Zamykam drzwi i otwieram znowu — korytarz. Czyli przejście zostaje zamknięte automatycznie po moim powrocie. Super.

— Łukasz? — z dołu dobiega mnie głos ciotki. — Wróciłam już. Jesteś?

— Jestem — odkrzykuję.

— Kupiłam ci bluzę, kurtkę i plecak do szkoły. Chodź, zobaczysz.

— Dobra!

Plecak do szkoły! Uśmiecham się pod nosem. Nic mi nie może zrobić, nie zmusi mnie, żebym poszedł do szkoły w Kamieniu, nie ma mowy. W każdej chwili mogę się przed nią ukryć. Po raz pierwszy od chwili, gdy przyjechałem do tego wielkiego, starego domu, jest mi całkiem wesoło. Zdejmuję kurtkę taty i wieszam ją na oparciu krzesła, a potem schodzę na parter. W holu zaglądam do korytarza prowadzącego do pokoi dla gości. Ile w tym domu jest drzwi? Mnóstwo. Czy je także można otworzyć do innego świata? Może to dotyczy wszystkich drzwi w „Wysokim Klifie"? A może w ogóle wszystkich drzwi na świecie — jeśli zapuka się we właściwy sposób, każde z nich można otworzyć w taki sposób, aby było za nimi coś innego niż zazwyczaj? Będę musiał to sprawdzić!

IX

Drzwi do innych światów

— Byłam w szkole — oznajmia ciotka, kiedy siadamy do obiadu przy białym stole w kuchni. — Będziesz mógł zacząć chodzić do niej od przyszłego tygodnia, gdy tylko dostarczę resztę dokumentów.

— Jakich dokumentów? — pytam, nabierając pełną łyżkę rosołu.

— Z twojej poprzedniej szkoły. Nie wiesz, gdzie mogą być?

— Nie mam pojęcia — stwierdzam z zadowoleniem.

Nie do końca jest to prawda. Mama trzymała wszystkie papiery w jednym miejscu — w dolnej szufladzie komody pod telewizorem. Pamiętam to dokładnie, bo wiele razy mówiła mi, żebym tam nie zaglądał i niczego nie ruszał. Ale przecież to było w Warszawie. Kto wie, gdzie teraz są te papiery?

— Muszą być w którymś z kartonów — wzdycha ciotka. — Firma przeprowadzkowa opisała je byle jak. Nie wiesz, czy mama trzymała dokumenty w dużym pokoju? Może w sypialni?

— Dobry ten rosół — mówię, bo nie lubię kłamać, a nie mam zamiaru jej pomóc.

— Mama ci nie mówiła? — naciska ciotka. — Na pewno mówiła. Ja bym powiedziała.

— Tak? A dlaczego ty właściwie nie masz swoich dzieci? — pytam, sprytnie zmieniając temat.

Ciotka zerka na mnie okiem znad okularów i wraca do jedzenia rosołu.

— Bo tak się złożyło.

— Ale dlaczego?

— Bo nie wyszłam za mąż. Jedz.

— Jem. A dlaczego nie wyszłaś za mąż?

— To nie twoja sprawa — ucina ciotka. — Jedz.

— No przecież jem. A nie chciałaś?

— Czego nie chciałam?

— Wyjść za mąż i mieć dzieci?

— Chciałam — ciotka odnosi pusty talerz do zlewu. — Na drugie jest gulasz. Lubisz gulasz?

— Lubię, o ile nie ma w nim tłustych kawałków. Skoro chciałaś, to dlaczego nie wyszłaś?

— Bo nikt mi się nie oświadczył. Skończ już.

— Co? Rosół?

— Nie, ten temat. Zjadłeś?

— Prawie. Dlaczego nikt ci się nie oświadczył?

— Łukasz!

— No co? Zapytać nie wolno? W końcu chyba byłoby ci lepiej, nie? Jakbyś miała męża, mogłabyś z nim prowadzić pensjonat, a dzieci by wam pomagały. Wcale byś nie musiała zatrudniać Stasiowej i tak dalej. No nie?

— Nie wiem — ciotka stawia przede mną talerz z gulaszem. — Nie chcesz wiedzieć nic o tej szkole? Chodziłyśmy do niej i ja, i twoja mama.

— Nie bardzo — mówię, odsuwając pusty talerz po zupie i zabierając się do drugiego dania.

— To naprawdę bardzo ładna szkoła. Nie jest duża i mieści się w starej willi.

— Takiej jak „Wysoki Klif"?

— Podobnej.

— A jak niby miałbym jeździć do tej całej szkoły? — pytam, pakując do ust kopiasty widelec gulaszu, i mówię dalej z pełnymi ustami: — Bo jeśli myślisz, że autobusem, to raczej odpada.

— Wiem, byłoby ci trudno. Będę cię woziła i odbierała po lekcjach. Furgonetką.

Ekstra! Ciocia ma zamiar wozić mnie do szkoły tym rozklekotanym rzęchem „Wspaniałe akacje"! Może jeszcze będzie mnie odprowadzała do klasy za rączkę? Chyba chce, żebym umarł ze wstydu.

— Jeśli się uda, stracisz tylko cztery dni nauki — oznajmia ciotka.

— Tylko cztery? Och, to chyba się zaraz popłaczę ze szczęścia — mamroczę nad talerzem.

— Co mówiłeś?

— Nic. Wcale nie muszę chodzić do szkoły. Przez rok nie chodziłem, a i tak zaliczyłem klasę.

— Tak, ale uczyłeś się w szpitalu.

— Przychodziła do mnie nauczycielka. Tutaj też by mogła. Nie ta sama oczywiście, ale jakaś inna. Zresztą ja się bardzo dobrze uczę. Mam same piątki i czwórki, a z biologii szóstkę.

Ciotka siada naprzeciw mnie. Zastanawia się przez moment i pyta wreszcie:

— Lubisz biologię?

— Lubię — odburkuję, nabijając na widelec kawałek mięsa z gulaszu. — Jak będę starszy, będę się zajmował genetyką i klonowaniem.

— Klonowaniem?

— Tak. Nie wiesz, co to jest klonowanie? Bierze się mały kawałek i hoduje się z niego cały nowy organizm albo część. Taką samą, albo poprawioną. Albo łączy się kawałki różnych organizmów i powstają zupełnie nowe gatunki. W ten sposób będę robił różne ulepszenia w ludziach i nie tylko. A jak ktoś będzie miał wypadek, będę mógł go raz-dwa naprawić. Na przykład zrobię mu nowe nogi. Albo ręce. I zrobię tak, żeby nikt nie chorował i się nie starzał!

Ciotka wzdycha ciężko, opuszcza wzrok i skubie brzeg blatu. Kończę jeść gulasz i odsuwam talerz. Jestem na nią starsznie zły, nie wiem dlaczego.

— Powinieneś chodzić do szkoły z innymi dziećmi. Nie jesteś unieruchomiony. Zresztą dobrze ci to zrobi — odzywa się ciotka po kilku sekundach.

— Najlepiej by mi zrobiło, gdybym wrócił do domu! — wykrzykuję, rzucając widelec na talerz.

— Uspokój się.

— Mama się obudzi i mnie stąd zabierze! Nie będę tu chodził do żadnej głupiej szkoły! Nie zmusisz mnie!

— Jeśli będzie trzeba, to zmuszę.

— No to zobaczymy!

— Zobaczymy... — odpowiada bardzo spokojnym tonem ciotka i dociera do mnie, że rzeczywiście może to zrobić.

— Ucieknę — grożę.

— Niby dokąd? I jak?

— Przekonasz się. I wtedy będziesz żałowała. Ale będzie już za późno!

Ciotka przygląda mi się przez chwilę, ściągając usta, w końcu wzrusza ramionami i przesuwa dłonią po twarzy.

— Łukasz, wiem, że ci trudno.

— Nic nie wiesz!

— Twoja mama jest moją siostrą.

— I nie widziałyście się od ilu lat? Od dwunastu?

— To nie znaczy, że jej nie kocham. I bardzo żałuję, że nie chciała ze mną utrzymywać kontaktu.

— A ja wcale jej się nie dziwię! — wykrzykuję, podnosząc się gwałtownie.

Oczywiście znowu zapominam o mim kolanie i piorun bólu niemal rozrywa mi je w ułamku sekundy. Na czoło od razu występują mi krople zimnego potu, a rosół i gulasz podjeżdżają do gardła. Ciotka zrywa się z krzesła i chwyta mnie za ramię.

— Nic mi nie jest — odtrącam jej rękę.

Ból ustępuje po chwili, chociaż pozostawia ćmiący ślad. Zupełnie jakby błyskawica zmieniła się w iskrzenie. Oddycham spokojnie przez nos, czekając, aż ćmienie też minie. Nie mija jednak. Biorę więc kulę i idę do siebie, starając się nie opierać na lewej nodze.

— Przyniosę ci na górę herbatę i ciasto na deser — mówi cicho ciotka.

— Nie potrzebuję! W życiu nie jadłem tyle, ile tutaj. W kółko tylko jedzenie i jedzenie — rzucam przez ramię, nawet na nią nie patrząc. — Daj mi spokój!

Dzisiaj nie wrócę już do srebrnego ogrodu. Muszę się położyć i odpocząć. Ale jutro...

Kiedy budzę się rano i schodzę do jadalni, znajduję kartkę od ciotki opartą o pusty wazon na wielkim stole. „Pojechałam do Szczecina załatwić kilka spraw. Stasiowa zajrzy do ciebie koło 15.00. Wrócę o 18.00. Agata".

Czyli mam cały dzień dla siebie. Już mam wejść na schody, kiedy przychodzi mi do głowy, że na parterze też jest mnóstwo drzwi, a przecież postanowiłem sprawdzić jeszcze jakieś inne poza niebieskimi. Mogę zacząć na dole. Wchodzę do korytarza z wejściami do pokoi dla gości i staję przed pierwszymi drzwiami z prawej, tymi z mosiężną jedynką na środku. Drzwi są oczywiście zamknięte na klucz, ale — jeśli mam rację — nie ma to znaczenia. Przecież niebieskie drzwi za pierwszym razem też były zamknięte na zamek, a jednak otworzyły się do srebrnego świata.

Wyjmuję komórkę z kieszeni, sprawdzam godzinę i zaczynam wystukiwać kod przejścia — tak postanowiłem nazywać ten sposób pukania. Równo po siedmiu minutach i siedmiu sekundach odgłos pukania zmienia się nagle. Chyba się udało! Naciskam klamkę i otwieram drzwi. A za nimi...

Za drzwiami pokoju numer jeden nie ma pokoju. A właściwie jest, ale nie taki, jaki być powinien. To pomieszczenie ma dużo większy rozmiar niż jedynka dla dwojga gości plus dziecko na dostawce. Tutaj spokojnie mogłaby rozlokować się piłkarska drużyna. Ściany są wyłożone jakimś kamieniem połyskującym metalicznie w świetle wpadającym przez trzy wąskie, wysokie okna, za którymi widzę jakieś spiczaste dachy i niebo. Niebo wygląda zupełnie normalnie, ma błękitny kolor. Jest takie samo jak w naszym świecie. Rozglądam się po pokoju. Stoi w nim jedynie coś, co wygląda jak fotel fryzjerski — tyle tylko, że zrobione jest z drewna i zdecydowanie zbyt duże. Żeby na nim usiąść, musiałbym podstawić sobie stołek. Poza tym na jednej ze ścian umieszczono ogromny, wypolerowany płat metalu — pewnie pełni funkcję lustra. Albo ozdoby. Zaglądam do pokoju, przytrzymując się framugi. Po prawej stronie widzę drzwi — są zbite z potężnych belek, wykute z czarnego metalu zawiasy mają ozdobne, spiczaste końcówki, które przypominają mi groty strzał. A klamka... Klamka — także wykuta z metalu — ma kształt litery es. Poza tym, że jest ogromna, nie ma w niej nic niezwykłego.

Nagle za drzwiami z drewnianych belek rozlega się jakiś harmider. Słyszę niski dudniący głos, który wykrzykuje coś w ostrym, nieznanym języku. Brzmi trochę podobnie do niemieckiego. Klamka porusza się, drzwi uchylają z upiornym zgrzytem na kilkanaście centymetrów. Wciągam głośno powietrze, cofając się do korytarza „Wysokiego Klifu", i dokładnie w chwili, kiedy w dziwnym, kamiennym pokoju rozlega się wyraźnie zaskoczony, gardłowy krzyk, zatrzaskuję drzwi z numerem jeden.

Z pewnością nie był to srebrzysty świat. Oddycham spokojnie przez długą chwilę i zastanawiam się na głos, mrucząc pod nosem, bo tak mi się zawsze najlepiej myśli:

— Podsumujmy. Niebieskie drzwi otworzyły się do srebrnego ogrodu. Te do... Nie mam pojęcia, co to było. Z pewnością gdzieś indziej, w jakimś innym świecie, chociaż bardzo przypominał ziemię. Nieważne, na pewno tam nie wrócę. W każdym razie był to inny świat. Czy zależy to od sposobu pukania, czy od samych drzwi? Od czego zależy to, że to przejście prowadziło do zupełnie innej...

Krainy? Rzeczywistości! To będzie najlepsze określenie. Ale przecież pukałem dokładnie tak samo jak do niebieskich drzwi. Chociaż nie jestem automatem, na pewno są jakieś różnice... Więc to nie zależy od pukania! Każde drzwi mogą stać się przejściem do innego świata! Ale jeszcze muszę się upewnić.

Podpierając się kulą, kuśtykam do kolejnych drzwi. Pokój numer trzy. Może być. Rozcieram obolałą dłoń, wyjmuję komórkę i ustawiam stoper. Powinienem sobie sprawić jakąś specjalną rękawiczkę z grubej sztywnej skóry. Albo obitą czymś twardym. Nabieram tchu i zaczynam pukać do drzwi numer pięć.

Wydaje się, że siedem minut to nie jest długo. Ale uwierzcie mi — stukanie przez siedem minut do drzwi trwa milion lat, naprawdę. Nie przerywam jednak ani na chwilę i cierpliwie przyglądam się stoperowi. Siedem minut i pięć sekund. Sześć sekund. Siedem...

Nagle coś miękko uderzyło w drzwi z drugiej strony. Przysuwam głowę i nasłuchuję. Po chwili słychać szum i coś znowu uderza. Spoglądam pod nogi i widzę, że przez próg pokoju przelewa się jakiś płyn... Ale przecież gdyby ta rzeczywistość była całkowicie wypełniona wodą, sączyłaby się ona przez wszystkie szczeliny przy framudze. Muszę otworzyć drzwi — choć na centymetr — i zatrzasnąć, żeby zamknąć przejście. Naciskam klamkę, przysuwam się tuż do szczeliny przy futrynie — rzucę tylko okiem przez sekundę... Uchylam drzwi.

Za progiem jest morze. Na ciemnym niebie świeci jaskrawe słońce — nieco mniejsze i jaśniejsze od naszego. W dodatku otoczone jest pierścieniem niebieskiego ognia, zupełnie jakby dookoła niego płonęły tysiące palników gazowych kuchenek. Powierzchnia oceanu marszczy się i wydyma inaczej niż na ziemi! Woda sprawia wrażenie gęstej jak olej, mieni się tęczowo w blasku słońca. Nagle widzę płynącą w moją stronę oleistą falę, a jednocześnie zaczyna mi się strasznie kręcić w głowie i dopiero teraz uświadamiam sobie, że powietrze tej rzeczywistości dziwnie pachnie. Chyba w ogóle nie jest powietrzem, tylko jakąś mieszanką gazów zupełnie nienadającą się do oddychania. Nie ma tlenu! Fala jest metr ode mnie. Wznosi się w górę, strużki płynu wyciągają się w moją stronę niczym macki wygłodniałej, przezroczystej ośmiornicy. Przed oczami wirują mi czerwone kręgi, ostatkiem sił popycham drzwi i zatrzaskuję je niemal w tym samym ułamku sekundy, w którym dopada mnie fala. Szum oleistej wody znika jak ucięty nożem, a ja przywieram plecami do ściany obok wejścia do piątki i próbuję złapać oddech. W głowie nadal mi się kręci, w dodatku dopadają mnie mdłości. Liczę w myśli do pięćdziesięciu i mój żołądek się uspokaja. Mam chyba dosyć eksperymentów.

Opierając się na kuli, kuśtykam w stronę schodów i idę do mojego pokoju.

Więc jest tak, że każde drzwi mogą stać się przejściem do innego świata. Innej rzeczywistości. A może innego wymiaru? Wystarczy tylko umiejętnie zapukać! Ale to nie może być takie proste... Może dotyczy to tylko „Wysokiego Klifu"? Może ten dom jest rodzajem... Nie wiem, skrzyżowania dróg? Może to tu spotykają się różne wymiary? Ale dlaczego akurat tu, w tym starym, rozsypującym się pensjonacie?

Siadam przy biurku, opieram brodę na dłoni i spoglądam na drzewa za oknem.

Być może nie dotyczy to tylko drzwi w „Wysokim Klifie", ale w ogóle wszystkich na świecie. Tyle tylko, że ktoś przecież powinien już dawno na to wpaść, dawno temu już to odkryć...

Ale czy kiedykolwiek komukolwiek przyszło do głowy, żeby pukać do jakichś drzwi nieprzerwanie przez siedem minut i siedem sekund? Nie sądzę. Nawet jeżeli dobijasz się do zamkniętych drzwi, bo powiedzmy, zapomniałeś kluczy, a ktoś w środku śpi, to nie pukasz nieprzerwanie przez dłuższy czas! Walisz w drzwi pięścią, krzyczysz, robisz przerwy.

A może zresztą ktoś już to odkrył, tylko nikomu nie powiedział? Tak jak ja. Zachował sekret dla siebie. Możliwe, że trafił do jakiegoś niebezpiecznego świata, takiego jak ten z trującym powietrzem i bezkresnym, oleistym morzem, i już potem nie mógł nikomu o tym powiedzieć. Ja miałem szczęście — znalazłem ten srebrny ogród, który jest pięknym i dobrym miejscem. Jestem tego pewny. Tam nie może spotkać mnie nic złego.

Stasiowa zgodnie z tym, co napisała ciotka, przychodzi o trzeciej i przynosi dla mnie obiad. Bez słowa czeka, aż zjem, potem zmywa i idzie do siebie. A ja wracam na górę i otwieram przejście. Dziś trwa to krócej — tylko sześć minut. Kładę się na futrzastej trawie, która szeleści cicho przy mojej głowie, i spoglądam na niebo w kolorze fiołków. Czuję, że jestem u siebie. Jest mi tak dobrze, jak nie było od kilkunastu miesięcy, i czuję się świetnie. Ale przecież nic we mnie się nie zmieniło... Zastanawiam się nad tym przez dobrych kilka sekund, zanim dociera do mnie, że jednak coś się zmieniło. Prąd iskrzący w moim lewym kolanie przygasł nieco i choć nadal nie mogę zgiąć nogi, to prawie nie czuję już w niej bólu.

Przez następne dni odwiedzam błękitnosrebrny świat regularnie. Najdziwniejsze, że za każdym razem przejście otwiera się coraz łatwiej i szybciej. W czwartek pukam przez pięć minut, w piątek niecałe cztery, a w sobotę przejście otwiera się już po dwóch. Za każdym razem spędzam w ogrodzie trochę więcej czasu. Próbuję oswoić ważkowatego ptaka, ale nie pozwala się dotknąć, choć pojawia się w pobliżu za każdym razem, a raz nawet zjada połówkę herbatnika, którą zostawiam w trawie.

W niedzielę ciotka zamyka się w pawilonie i rozpakowuje nasze kartony. Nic mnie to nie obchodzi. Przejście do srebrzystego świata otwiera się zaledwie po minucie. Tego dnia zabieram ze sobą czarny marker z biura i zapuszczam się dalej między drzewa, oznaczając po drodze pnie. Chcę sprawdzić, co jest za nimi, bo przecież muszą tu być jakieś inne polanki, a może coś jeszcze ciekawszego. Po niecałej godzinie moje przeczucia okazują się trafne — natrafiam na wąską ścieżkę wijącą się w trawie między drzewami.

X
KRWAWIEC

Przystaję obok drzewa i gapię się na ścieżkę przez długą chwilę. Jest wyłożona okrągłymi kamykami, które przerastają źdźbła trawy. Wygląda na bardzo starą — kamyki pokrywa mech i zeschnięte liście, które spadły z drzew. Ale skoro jest ścieżka, to znaczy, że ktoś ją wydeptał. Ktoś, kto mieszka lub mieszkał w tym srebrzystym lesie. Nie jestem tu pierwszy, a być może — nie jestem tu wcale sam. Może jednak powinienem zawrócić na polankę? Ale co mi szkodzi sprawdzić, dokąd prowadzi ta dróżka? Nie zgubię się na niej przecież, w każdej chwili mogę zawrócić, a poprowadzi mnie zpowrotem. Na pniu drzewa rysuję strzałkę wskazującą kierunek, z którego przyszedłem, i wchodzę na ścieżkę. Na pewno nikt jej nie używa — zostawiam za sobą wyraźne ślady w mchu. Kuśtykam przed siebie. Ścieżka wije się między drzewami, w kilku miejscach zagradzają ją zwalone pnie, które gdzieniegdzie przerastają jasnoniebieskie krzewy o trójkątnych, długich liściach. Obchodzę przeszkody i wędruję ścieżką. A może to wcale nie jest droga? Może w pewnym momencie zniknie w trawie tak samo, jak się zaczęła? Może to jakieś naturalne zjawisko? W końcu nie znam tej rzeczywistości. Kamyki są idealnie gładkie i ułożone jak łuska na ciele ryby. Albo węża. Po obu stronach ścieżki pojawiają się gęste, wysokie zarośla, inne od tych, które widziałem do tej pory. Zygzakowate gałązki uginają się od ciężaru owoców, które wyglądają jak srebrne kulki. Spoglądam w lewo i w prawo — zarośla po obu stronach ciągną się w dal i znikają między drzewami. Jeżeli mam dalej iść tą ścieżką, muszę wejść między krzewy, bo na pewno nie uda mi się ich obejść. Sprawdzam godzinę na komórce. Dochodzi czternasta, ciotka na pewno jeszcze siedzi w pawilonie. Do obiadu mam jeszcze godzinę, ale droga tutaj zajęła mi prawie czterdzieści minut. Powinienem wracać... W tym momencie zrywa się lekki wiatr. Kołysze gałązkami krzewów, a srebrne owoce uderzają o siebie i po lesie rozchodzi się kaskada dźwięków — zupełnie jakby ktoś potrząsnął tysiącem małych dzwonków. Przechylam głowę i uśmiecham się szeroko, wsłuchany w delikatne dzwonienie... Nic się chyba nie stanie, jeśli przejdę jeszcze kilkanaście metrów. Ruszam między brzęczące dzwonkami zarośla. Okazuje się, że choć gęste, to jednak ich pas jest niezbyt głęboki. Po kilku krokach wychodzę na otwartą przestrzeń i zatrzymuję się jak wryty. Przede mną otwiera się łagodnie schodząca w dół dolinka. Droga jest tu szersza, co kilkadziesiąt metrów stoją przy niej latarnie, a w odległości kilkudziesięciu metrów przede mną zaczyna się... miasto. Właściwie miasteczko, a może nawet wieś. Kamienna ścieżka zamienia się w główną ulicę, przy której stoją gęsto jeden obok drugiego niewysokie domki o spadzistych dachach. Dachy mają ceglasty kolor ze srebrnym połyskiem, a ściany domów są szare. W niektórych miejscach mienią się w słońcu, jakby zostały wyłożone tłuczonymi bombkami choinkowymi. Wypuszczam oddech, który wstrzymałem na widok miasteczka, i przyglądam się mu dokładnie zza krzewów. Kto tu mieszka? Chyba nikt... Droga jest tak samo omszała jak jej leśny odcinek, domy mają zakurzone, brudne okna. Z żadnego komina nie wydobywa się dym, a latarnie poprzechylane są na boki. Jedna nawet upadła i leży wzdłuż drogi. To wymarłe miasteczko. Nagle nabieram ogromnej ochoty, żeby przyjrzeć mu się z bliska. Zdążę wrócić na obiad do „Wysokiego Klifu", ale nawet gdybym nie zdążył, ciotka najwyżej pomyśli, że wyszedłem na spacer, gdy rozpakowywała pudła w pawilonie. Zresztą zajmie mi to najwyżej piętnaście minut — rzucę tylko okiem i wracam.

Ruszam w stronę domów. Ciekawe, co w nich jest? Może coś cennego? Może znajdę jakieś zapomniane, niezwykłe rzeczy? Wtedy mógłbym zabrać je stąd i sprzedać, a bank oddałby nasze mieszkanie! Mógłbym zamieszkać znowu u Cebulki... Albo zapłaciłbym jakimś specjalnym, zagranicznym lekarzom, żeby obudzili mamę! Muszą być tacy gdzieś na świecie! Droga biegnie w dół coraz bardziej stromo, przyspieszam niechcący i tracę równowagę. Podpieram się kulą, ale ześlizguje się po kamieniach, staję na lewej nodze całym ciężarem i choć tu ból dokucza mi mniej niż w naszym świecie, moje kolano przeszywa piorun. Krzyczę cicho, przenoszę ciężar na drugą nogę i próbuję oprzeć się o latarnię, która stoi tuż obok mnie. Z ogłuszającym zgrzytem przechyla się pod moją ręką i przewraca, a ja tuż za nią. Leżę przez kilkadziesiąt długich sekund, zaciskając powieki i czekając, aż ból minie. W końcu staje się trochę lżejszy, nie znika jednak całkowicie. Jak teraz wrócę? I jak w ogóle mam wstać? Pewnie wydaje się wam, że to żadna filozofia, co za problem wstać? Spróbujcie to jednak zrobić, mając przez cały czas wyprostowaną jedną nogę, w której najlżejszy nieostrożny ruch może wywołać przeszywającą błyskawicę bólu. Zmuszam się do spokojniejszego oddechu i po kilku próbach udaje mi się zablokować koniec kuli między kamieniami i wspierając się na niej, wreszcie stanąć. Co teraz? Muszę odpocząć i usiąść na chwilę, nie ma mowy, żebym dał radę od razu wdrapać się dróżką w górę i wrócić do lasu. Najbliższy dom jest niedaleko. Ocieram pot z czoła, otrzepuję kurtkę taty i na wszelki wypadek wyjmuję z kieszeni scyzoryk. Otwieram ostrze, a potem ostrożnie wchodzę między domki.

Pierwsze są zwykłymi domami mieszkalnymi. Szyby pokrywa gruby kurz, trawa zarasta progi. Jak długo mogą stać puste? Nie mam pojęcia. Rok? Pięć lat? A może równie dobrze sto albo i dwieście? U nas niezamieszkane domy błyskawicznie zamieniają się w ruiny, bo ludzie wybijają okna i zabierają wszystko, co tylko może się przydać gdzie indziej. Ale kto miałby tutaj zniszczyć opustoszałe domki? Nikt nie powybijał okien ani nie wyłamał drzwi. W niektórych domach dachy pozapadały się miejscami, z niektórych ścian poodpadały tynki, odsłaniając mury budowane z okrągłych, jasnoszarych kamieni, ale to jedyne zniszczenia.

Następne domy mają na parterach witryny, pojawiają się zabrudzone szyldy. Staję przed jednym z nich i czytam ze zmarszczonym czołem. „Prążec". Co to jest prążec? Nazwisko chyba. Przechodzę do następnego szyldu, umieszczonego nad drzwiami prowadzącymi do domu z wąskimi oknami. Ten szyld jest ozdobny, ma wymalowane gałązki obwieszone srebrnymi kuleczkami i oplecione wstążkami. Na środku widnieje bordowy napis „Praskownica". A pod nim mniejszymi literami napisano: „Najniedroższe i uniwesralne puspółki i zanawiasy". To się robi coraz dziwaczniejsze. Następny dom oznaczono szyldem: „Pocztaki". Pod nim jest duża witryna, a na zakurzonej szybie namalowano coś, co wydaje mi się znajome. Ależ tak! To ważkowaty ptak, taki sam jak ten, którego spotkałem na polance przy wejściu. Podchodzę bliżej i przykładam nos do szyby. Wnętrze jest mroczne, przedziela je półprzejrzysta ścianka z okrągłymi otworami. Za nią widać półki, na których pod grubą warstwą kurzu leżą jakieś bezkształtne przedmioty. Chyba nie mam ochoty tam wchodzić. Wracam na uliczkę i idę dalej. Mijam „Odwodniki pryskate" oraz „Starpany i strukoty". Te napisy są naprawdę dziwaczne... Zbliżam się do następnego domku. Jest parterowy, ale jego dach wznosi się na wysokość dorównującą dachom sąsiednich dwupiętrowych domów. Wygląda na najbardziej zaniedbany ze wszystkich. Spoglądam na szyld umieszczony nad małymi, wykrzywionymi drzwiami. „Krawiec". No, nareszcie coś normalnego! Obok napisu namalowana jest szpulka nici, które wiją się i plączą wokół liter. Opuszczam wzrok niżej i widzę, że drzwi są uchylone. Co mi szkodzi zajrzeć? Kuśtykam do wejścia, starając się nie stawać na lewej nodze, bo moje kolano wciąż iskrzy ćmiącym bólem. Popchnięte drzwi z upiornym skrzypieniem otwierają się do środka. Patrzę w górę na szyld. Jednak i on wcale nie jest w porządku. Kiedy spojrzałem na niego po raz pierwszy, wydawało mi się, że napisano na nim „Krawiec". Teraz orientuję się, że napis brzmi inaczej. Na szyldzie widnieje napis „Krwawiec". Nagle dociera do mnie, że nie tylko same napisy są dziwne. Dziwne jest to, że wszystkie — choć absurdalne — brzmią jak zwykłe ziemskie słowa, a litery są takie same jak w naszym świecie. Nawet te z ogonkami i kropkami. O co tu chodzi?

Chwytam mocniej kulę i wchodzę do środka.

Długi, pusty kontuar, kilka krzeseł. Wnętrze jest zakurzone, ale mniej, niż sądziłem. Na półkach leżą całe sterty splątanych nici. Dlaczego nie są nawinięte na szpulki? Nici zresztą zwisają też z krzeseł, z lady, z parapetu okna. Leżą w kurzu na podłodze. Wchodzę dalej, spoglądam w lewo, za kontuar i żołądek ściska mi się w lodowatą kulkę, a włosy stają dęba. Za kontuarem między półkami a przejściem na zaplecze ktoś stoi! Serce zatrzymuje mi się w piersi, a po sekundzie zaczyna walić jak młotem. Co mnie podkusiło, żeby tu wchodzić?!

— Prze... Przepraszam — udaje mi się wyjąkać po długiej chwili.

Postać nawet nie drgnęła. Przełykam ślinę i szybko zerkam za siebie. Do drzwi mam jakieś sześć kroków. Spoglądam znowu na tego kogoś obok półek. Kogoś? A może to... Podchodzę bliżej kontuaru i przyglądam się ze zmarszczonym czołem. To nie człowiek, tylko manekin. Krawiecki manekin w czarnym zakurzonym garniturze i szerokim czarnym kapeluszu, który zasłania mu pół twarzy.

Nie widać oczu, jedynie szary, spiczasty podbródek. A ja tak się wystraszyłem! Wypuszczam z ulgą oddech i opieram dłoń o kontuar. Czuję pod palcami zwoje leżących na nim nici. Przez moment nic się nie dzieje. Nagle nici poruszają się pod moim dotykiem. To tylko lekkie drgnienie, mogło mi się wydawać, ale cofam natychmiast rękę i wlepiam wzrok w kłębowisko na ladzie. Wcale mi się nie wydawało! Nici wiją się powoli, zupełnie jak cienkie wodorosty na dnie falującego jeziora!

— Cieszszszszę ssssię, że zajrzałeśśśś — odzywa się obok cichy szept, a ja krzyczę z przestrachu i odruchowo rzucam się w tył.

Potykam się o krzesło stojące obok kontuaru, kula wymyka mi się z dłoni i przewracam się na podłogę. Piorun w kolanie tylko na to czeka — uderza błyskawicznie, a ja krzyczę znowu, tym razem z bólu.

— Och... Tak mi przykro, że cię przesssstraszszszyłem — szepcze postać w czarnym garniturze, przechylając się przez ladę i spoglądając na mnie spod szerokiego ronda czarnego kapelusza.

Żołądek podjeżdża mi do gardła, oczy wypełniają się łzami. Ból promieniuje z kolana przez udo, biodro, aż do brzucha. Próbuję złapać oddech, ale zaczyna mi się kręcić w głowie. Kontuar, mężczyzna w czarnym garniturze, półki pełne splątanych nici — wszystko zaczyna wirować wokół mnie coraz szybciej i szybciej, a potem spadam w mroczną, lepką pustkę, zupełnie jakbym wpadł w oleiste fale czarnego oceanu, który zobaczyłem za drzwiami pokoju numer trzy.

— Hej, chłopaczku — przez ciemność przebija się cichy głos. — Jak ssssię czujeszszsz?

Znowu jestem w szpitalu. Właśnie miałem kolejną operację, lekarz mnie budzi. Dwa razy byłem pod narkozą — nienawidzę tego uczucia, z którym człowiek potem się budzi. Kwaśnego smaku na języku, ciężkiej głowy i mdłości. Odchrząkuję i otwieram oczy. To nie jest szpital. Spoglądam na szary, popękany sufit nad moją głową.

— Lepiej? — szepcze ktoś tuż obok.

Natychmiast odwracam głowę — trochę za szybko, zaczyna mi się niej kręcić. Przymykam oczy na sekundę i otwieram. Na niewielkim krześle obok łóżka, na którym leżę, siedzi przygarbiony mężczyzna w czarnym garniturze. Wpatruje się we mnie z krzywym uśmiechem na twarzy, a mnie robi się zimno. Głośno wciągam powietrze. Zdjął kapelusz i położył go sobie na kolanach. Opiera obie dłonie na jego zakurzonym rondzie. Odsuwam się od niego najdalej, jak mogę.

— Nie trzeba ssssię bać — szepcze mężczyzna.

Gdyby moja mama go zobaczyła, pewnie powiedziałaby, że jest śmieszny — tak samo jak Freddy Krueger z filmu, którego panicznie się bałem, gdy byłem mały. Już dawno zorientowałem się, że pewne rzeczy, które dorośli uważają za śmieszne, dla dzieci są przerażające. Na przykład klauni w cyrku — nigdy nie mogłem zrozumieć, jak można się śmiać z kogoś, kto ma namalowany uśmiech i łzy. To wydaje mi się niebezpieczne — ktoś, kto ma uśmiech i łzy na stałe, może zrobić wszystko, a ty nawet się nie zorientujesz, że miał taki zamiar.

Jednak zgarbiony mężczyzna siedzący na zbyt małym krześle obok mnie nie wygląda ani jak Freddy, ani jak klaun. Ma ziemistą, pomarszczoną skórę na dłoniach i policzkach. Jego twarz jest bardzo wąska, kości policzkowe wystające. Nie ma brwi ani rzęs, a jego czaszka jest niemal całkowicie łysa – rośnie na niej tylko trochę długich, przylizanych, szarawych włosów, które wyglądają jak nitki. Ma bardzo duże, odstające uszy, jedno z nich jest trochę wyżej od drugiego. Sine usta przypominają zmarszczkę – są pozbawione warg. Podbródek mężczyzny, podobnie jak nos, jest zbyt spiczasty i wysunięty do przodu. Cienka, szara szyja wystaje z szerokiego kołnierzyka białej, brudnej koszuli, ściśniętego wąskim, czarnym krawatem. Ale najdziwniejsze są jego oczy – nieduże, osadzone tuż pod wystającymi łukami brwiowymi. Mają maleńkie, czarne źrenice, nie większe od łepków szpilek. Szarożółte, połyskujące mętnie białka odcinają się niepokojąco wyraźnie od ciemnych, niemal grafitowych powiek.

– Pewnie wydaję ci sssię ssstraszszsznie brzydki – szepcze mężczyzna, przenosząc wzrok na swoje dłonie.

Spoglądam na nie – ma niezwykle szczupłe, długie palce z wyraźnymi zgrubieniami stawów i sine, połamane paznokcie. Grzbiety dłoni pokrywają liczne ciemne plamy. Jest po prostu stary – uświadamiam sobie i uspokajam się odrobinę. To po prostu bardzo, bardzo stary człowiek. Nie miałem dziadków, starych ludzi widywałem tylko na ulicy. No, Cebulka w sumie była dość stara, ale nie aż tak. Po prostu nie jestem przyzwyczajony do widoku starych ludzi. A to tylko staruszek, nie ma się czego bać. Gdyby nie te jego oczy...

– Nie... – odzywam się, odchrząkując. – Nie wiem... Kim pan jest?

— Och — mężczyzna głaszcze delikatnie rondo kapelusza. — Myślałem, że wieszszsz, ssskoro przyszszszedłeśśś...

— Ja nawet... — podciągam się ostrożnie, bo spięcie w moim kolanie ciągle iskrzy jak szalone, i siadam na łóżku, opierając się o ścianę. — Nawet nie wiem, gdzie dokładnie jestem. Znalazłem ten świat zupełnym przypadkiem. Po prostu zapukałem do drzwi, a gdy je otworzyłem, no wtedy... Był za nimi...

— Oooo — mówi cicho mężczyzna, zerkając szybko na mnie. — Przychodziszszsz zza drzwi...

— Tak — wyjaśniam. — Zza niebieskich drzwi w „Wysokim Klifie".

— Ach, tak — mężczyzna znowu przenosi wzrok na swoje palce. — Sssstamtąd. Sssłyszszszałem o tym... Pamiętam chyba twój śśśświat...

— Słyszał pan o nim? — pytam i rozglądam się szybko po pomieszczeniu.

Chyba jestem na zapleczu pracowni. Pomieszczenie jest niewielkie, brudne i przygnębiające, bo choć teraz ściany i meble pokrywa kurz, widać, że kiedyś musiało być bardzo miłym pokoikiem. W wąskim oknie wiszą resztki spłowiałych zasłon w niebieskie kwiatki, na parapecie stoją srebrzyste doniczki z kikutkami zaschniętych roślin. Oprócz łóżka i małego krzesełka, na którym siedzi Krwawiec, jest tu jeszcze okrągły stolik przykryty podartą koronkową serwetą i zabawny kredens. Na półkach za brudnymi, szlifowanymi szybkami stoją kolorowe filiżanki i dzbanek. Na ścianie obok drzwi wisi duży obraz w srebrnej ramie. Widać na nim dolinę i miasteczko — to samo, w którym jestem. Z kominów domów wydobywa się siwy dym, słońce na fiołkowym niebie świeci wesoło, a przed domami widać panie w długich kolorowych spódnicach i panów w granatowych garniturach. Na pierwszym planie stoi dziewczyna, trzymając w rękach koszyk pełen srebrnych owoców, które widziałem na krzakach rosnących przy dróżce. Ma na nosie okulary w cieniutkiej oprawce. Obraz jest zakurzony i rozdarty — cięcie przechodzi przez twarz młodej kobiety, zamieniając jej uśmiech w smutny grymas.

— A gdzie pan słyszał? — pytam po chwili, bo mężczyzna milczy.

— Od kogośśś, kto tak jak ty nassss odwiedził...

— Kto to był? — muszę się jakoś stąd wydostać, ciotka na pewno mnie szuka.

— Chłopak, ale sssstarszszszy od ciebie...

— O! I co się z nim stało?

— Odszszszedł.

— To znaczy wrócił do domu?

Mężczyzna znowu podnosi na mnie oczy i wbija je we mnie. Robi mi się nieswojo. Pożegnam się z nim i idę. Gdzie moja kula?

— Powiedz mi, chłopaczku... Czy w twoim śśśświecie nadal jest tylu ludzi? Czy nadal ssssą ich sssetki...

— Och, miliony — uśmiecham się mimo woli. — Ludzie są u nas wszędzie.

— Naprawdę?

— Naprawdę. Wie pan, przepraszam, ale już muszę iść. Późno się zrobiło. Ale wpadnę jeszcze.

— Miliony — zamyśla się Krwawiec, podnosząc wzrok. — A tutaj jesssstem już tylko ja.

— A co się stało ze wszystkimi? — pytam, rozglądając się w poszukiwaniu mojej kuli.

— Miliony ludzi... — szepcze do siebie staruszek, jakby mnie nie słyszał.

Dochodzę do wniosku, że moja kula musiała zostać obok lady w pracowni. Przesuwam się na brzeg łóżka, jak najdalej od Krwawca, opuszczam ostrożnie nogi na podłogę i odruchowo wycieram dłoń o nogawkę spodni. Coś, co leży na łóżku, być może kiedyś było materacem, ale teraz przypomina zbutwiałą gąbkę, która zapada się pode mną i jest nieprzyjemna w dotyku. Nie wiem, czy uda mi się doskoczyć do drzwi bez kuli.

— Naprawdę muszę już iść — oświadczam.

— Sssspieszszszyszszsz sssię — szepcze Krwawiec.

— Spieszę. Ciotka czeka na mnie z obiadem. Ciotka Agata, wie pan, mieszkam z nią. Tymczasowo. W „Wysokim Klifie".

Podnoszę się i wstaję z łóżka, przytrzymując się wysokiej deski w jego nogach. Prąd przeszywa mi kolano, krzywię się odruchowo, ale da się wytrzymać. Odliczam w myślach, czekając, aż przeminie, a Krwawiec przygląda mi się uważnie. Jednak iskrzenie wcale nie mija, tylko przybiera na sile. Zagryzam dolną wargę.

— Czy jesssst cośśśś, czego byśśśś chciał? — pyta nagle Krwawiec.

— Co? — odpowiadam pytaniem, marszcząc brwi i próbując zapanować nad prądem.

— Czego byśśśś chciał?

— Chciałbym... Chciałbym, żeby to moje głupie kolano przestało mnie boleć! — wykrzykuję, bo iskrzenie się nasila, a na czoło występuje mi zimny pot.

— Och — szepcze Krwawiec, uśmiechając się lekko i mrużąc oczy — to sssię da zrobić...

Podnosi się nagle z krzesła, a ja odruchowo odsuwam się, wyzwalając niechcący kolejną błyskawicę bólu. Krwawiec jest niezwykle wysoki, nie zwróciłem na to uwagi wcześniej, w pracowni. Staruszek staje tuż obok mnie, mocniej zaciskam palce na drewnianym obramowaniu łóżka. Pachnie... Przez chwilę nie potrafię sobie uświadomić, skąd znam ten zapach, ale nagle mi się przypomina. Dwa lata temu byłem na koloniach w górach. Mieszkaliśmy w domkach. To był nieudany wyjazd, ciągle lało, a my nie mieliśmy nic ciekawego do roboty. W domkach były stonogi. Chowały się między szparami w podłodze, pod szafkami i łóżkami. Niektórzy chłopacy urządzali na nie polowania, a potem rozgniatali złapane stonogi kamieniem na progu domku. Wydzielały wtedy specyficzny, kwaśny zapach. Taki sam jak Krwawiec, który powoli pochyla się i wyciąga rękę w stronę mojego kolana.

— Co pan ro... — zaczynam mówić, ale urywam, bo dzieje się coś dziwnego.

W dłoni Krwawca pojawia się nić. Srebrzysta nitka, niewiele grubsza od tych, z których pająki budują swoje sieci. Mężczyzna chwyta ją między kciuk i palec wskazujący, a potem zaczyna poruszać ręką, jakby chciał tę nitkę skręcić w kłębek. Nici robi się coraz więcej i więcej, dotyka moich spodni i nagle...

— Co to jest? — wykrzykuję, próbując się cofnąć, ale Krwawiec chwyta mnie drugą dłonią za ramię i przytrzymuje w miejscu, nie pozwalając się ruszyć.

Nić wnika w moje spodnie, w ciało, oplata nogawkę. Ból rośnie, a jednocześnie mam uczucie, jakby moje kolano zamarzało. Krzyczę i próbuję wyszarpać ramię z uchwytu Krwawca, ale on niespodziewanie podrywa dłoń. Nici zaciskają się na ułamek sekundy wokół mojego kolana, a potem gładko przenikają przez nie — niczym sieci zarzucone przez rybaka w toń morza. Krwawiec prostuje się, puszcza mnie. Z jego palców zwisa szary splątany kłębek, drżący i wybrzuszający się niespokojnie — zupełnie jakby wewnątrz uwięziony był jakiś owad. Nawet słyszę ciche bzyczenie.

Powraca zawrót głowy, chwieję się lekko, ale nie tracę równowagi. Co się stało? Piorun zniknął! Nie czuję już bólu, nic a nic! Puszczam łóżko i staję prosto. Moja lewa noga jest oczywiście nadal trochę krótsza od prawej, ale wcale nie iskrzy! Dopiero teraz uświadamiam sobie, że przez ostatnie miesiące czułem to drażniące, dotkliwe ćmienie bezustannie — nawet wtedy, gdy wydawało mi się, że go nie ma, ciągle mi towarzyszyło. A teraz zniknęło! Jestem wolny!

Krwawiec uśmiecha się do mnie, zaciska w dłoni kłębek nici i chowa go do kieszeni garnituru.

— Jak pan to zrobił? — pytam. —Przeszło!

— Nic sssspecjalnego, mój drogi — szepcze Krwawiec.

— Dziękuję.

— Och, nie musiszszsz mi dziękować. Wystarczy drobna przyssssługa...

— Przysługa? — spoglądam na niego, marszcząc brwi. — Jaka przysługa?

— Zrobiłem cośśśś dla ciebie, więc teraz ty zrobiszszszsz cośśśś dla mnie.

— Co mam zrobić?

— Drobiazg.

Nie podoba mi się to. Czego może chcieć ten dziwaczny, zasuszony starzec?

— Ale ja już muszę iść — mówię.

— Wiem. Chciałbym, żebyśśśś zabrał cośśśś ze ssssobą.

— Co mam zabrać?

— Pamiątaka.

— Pamiątaka? Chyba pamiątkę?

— Tak. Żebyśśśś nie zapomniał o sssstarym, biedniastym Krwawcu...

— O, na pewno nie zapomnę! Jak mógłbym o panu zapomnieć?

— Jeśśśśli zabierzeszszsz tego... pamiątaka, będę wiedział, że nie zapomniszszsz. Daj rękę.

Co mogę zrobić? W końcu nie ma w tym nic złego, że staruszek chce mi dać jakiś drobiazg na pamiątkę. A jeśli nie będzie mi się podobał, po prostu go wyrzucę po drodze, nie? Uśmiecham się grzecznie do niego i wystawiam dłoń. Krwawiec sięga i zaczyna nad nią pocierać palcami — zupełnie jakby sypał sól do zupy. Dziwak... Nagle nad moją otwartą dłonią pojawia się srebrzysta nitka. Spada na rękę, przesuwa się po skórze — tylko to widzę, nie czuję jej dotyku, bo jest lekka jak nić babiego lata. Pełznie w górę i błyskawicznie oplata mój wskazujący palec niczym sprężynka. Splot zacieśnia się, a po sekundzie wygląda tak, jakbym miał na palcu cienką, srebrną obrączkę. Podnoszę dłoń do oczu i dotykam obrączki palcem drugiej dłoni. Ugina się leciutko, ale kiedy próbuję ją przesunąć na palcu, ani drgnie.

— Ładna — mówię, przełykając ślinę. — Dziękuję.

— Proszszszę — szepcze Krwawiec.

— Muszę iść. Ale na pewno o panu nie zapomnę.

— Na pewno — odszeptuje mężczyzna, wpatrując się we mnie swoimi maleńkimi źrenicami.

Teraz wiem, co jeszcze jest tak niepokojącego w jego spojrzeniu. Krwawiec nie mruga. Poprawiam na sobie kurtkę taty i starając się nie odwracać do mężczyzny plecami, przesuwam się w stronę drzwi. Pochyla się, podnosi kapelusz z podłogi, zakłada go na łysą czaszkę i rusza za mną. W pracowni podnoszę z podłogi swoją kulę. Nie jest mi już potrzebna, ale nigdy nie wiadomo, co będzie dalej. Może zahipnotyzował mnie tylko, a gdy wyjdę z miasteczka, ból wróci?

— Do widzenia — mówię do niego.

Krwawiec staje za kontuarem, obok półek, w tym samym miejscu, w którym stał, gdy wszedłem do sklepiku. Pochyla głowę i nieruchomieje. Rondo kapelusza zasłania jego oczy, znów widać tylko szary, spiczasty podbródek. Otwieram skrzypiące, brudne drzwi i z uczuciem ogromnej ulgi wychodzę na uliczkę. Słońce przesunęło się na fiołkowym niebie i wisi teraz nisko nad koronami drzew porastających okoliczne wzgórza. Która jest godzina? Sprawdzam komórkę. Siedemnasta! Ciotka będzie wściekła. Utykając, ruszam szybko uliczką w górę. Nie pamiętam, kiedy ostatnio mogłem chodzić tak szybko, wspaniałe uczucie! Przelotnie spoglądam na witryny mijanych domów. „Odwodniki pryskate", „Pocztaki"... Przystaję na moment przed tą witryną. Dopiero teraz zauważam, że jest całkiem zasnuta gęstą pajęczyną. Chaotycznie splątane pajęcze sieci zwisają nawet z szyldu. A przecież zaglądałem przez okno do środka, jak mogłem ich nie zauważyć? Wzruszam ramionami i idę dalej. Wkrótce wychodzę z miasteczka i maszeruję drogą między powykrzywianymi latarniami, a chwilę potem jestem już między zaroślami obrośniętymi srebrnymi gronami. Dotarcie tutaj zajęło mi zaledwie parę minut! Jakie to cudowne uczucie, móc znowu normalnie chodzić. No, prawie normalnie. Rozgarniam krzewy przed sobą niepotrzebną już kulą i wkraczam między drzewa. Nie powiem, żeby spotkanie tego starego dziwaka było bardzo przyjemnym wydarzeniem, ale zmieniło moje życie. Dochodzę do wniosku, że odnalezienie błękitno-srebrnego świata jest jedną z najwspanialszych rzeczy, jakie spotkały mnie w życiu.

Kilkanaście minut później docieram do końca ścieżki. Przyglądam się drzewom w poszukiwaniu moich oznaczeń, ale nie potrafię ich znaleźć. Dziwne, dałbym sobie rękę uciąć, że właśnie na tym pniu narysowałem strzałkę... Nagle gdzieś niedaleko rozlega się cichy szum. Odwracam głowę i widzę, że niecały metr ode mnie, między drzewami, tuż nad srebrzystą trawą unosi się ważkowaty ptak. Jeszcze nigdy nie podleciał tak blisko. Uśmiecham się do niego i macham ręką, przekonany, że natychmiast czmychnie, ale zostaje w miejscu. Wzruszam ramionami i przenoszę wzrok na pień drzewa.

— Którędy mam iść? — pytam zamyślonym głosem.

— Pięćset metrów prosto — odzywa się ptak głosem pani z GPS-u. Martwieję na ułamek sekundy, a potem serce podjeżdża mi do gardła.

Błyskawicznie odwracam głowę w jego stronę i widzę, że podfrunął bliżej. Gdybym chciał, mógłbym go dotknąć. Wpatruje się we mnie paciorkami swoich maleńkich oczu, a mnie ogarnia lodowaty strach. Zaczynam biec przed siebie między drzewami. Szum skrzydeł ptaka nie opuszcza mnie ani na chwilę. Utykając, biegnę przed siebie, spoglądam przez ramię — jest tuż przy mnie! Nagle drzewa rozstępują się i wypadam na polanę. Nie zatrzymuję się. Najszybciej, jak umiem, biegnę do jasnego prostokąta, za którym widzę swój pokój w „Wysokim Klifie". Odwracam się na pięcie — ptak jest tuż za mną! Zbliża się! Dopiero teraz widzę, że jego dziób jest niezwykle ostry. Otwiera się powoli i wypada z niego ssawka zakończona długą srebrną igłą, która wygląda zupełnie jak igła strzykawki, którą pielęgniarki robiły mi zastrzyki w szpitalu. Przebiegam przez próg pokoju, po omacku chwytam skrzydło niebieskich drzwi i zatrzaskuję je z całej siły. Drzwi walą w futrynę tak mocno, że aż ze ściany osypują się drobinki tynku. Oddycham głośno, serce bije mi w piersi jak młotem. Rzucam kulę na podłogę, odczekuję kilka długich sekund i ostrożnie naciskam klamkę. Za drzwiami jest korytarz „Wysokiego Klifu". Wzdycham z ulgą i unoszę dłoń, żeby otrzeć pot z czoła. Popołudniowe słońce odbija się w nici okręconej wokół mojego palca. Przyglądam się jej przez chwilę, obracając rękę. Może uda mi się ją przeciąć nożyczkami? Nagle dochodzę do wniosku, że nie mam ochoty nosić tego czegoś na palcu. Wysuwam szufladę spod blatu biurka. Gdzieś tu były... Są! Wyjmuję małe nożyczki do papieru, ale zanim udaje mi się sięgnąć nimi do obrączki, nić odplątuje się sama. Zsuwa się z mojego palca jak rozluźniona sprężyna, jednak nie upada na podłogę. Ciasny splot rozkręca się wolno i unosi w powietrzu. Naprawdę wygląda jak nić babiego lata — myślę, gapiąc się na nią zbaraniałym wzrokiem. Srebrne pasemko faluje, skręca się i powoli płynie przez pokój. Zabawne. Wpatruję się w nić jak zahipnotyzowany. Zawraca w nieruchomym powietrzu, okrąża mnie — chwilami prawie tracę ją z oczu, jest tak cienka...

Nagle jej koniec unosi się wyżej i kieruje najpierw w jedną, a potem w drugą stronę — zupełnie jakby nasłuchiwała. Albo węszyła.

— Łukasz? Łukasz! — dobiega mnie głos ciotki Agaty z parteru.

Nić nieruchomieje na moment, a potem niczym wystrzelona z katapulty pędzi w stronę drzwi otwartych na korytarz.

— Hej! — wykrzykuję i próbuję ją chwycić, ale jest zbyt szybka i niemal natychmiast znika za framugą.

Wybiegam na korytarz, ale w mroku, który w nim panuje, nie sposób dostrzec, dokąd poleciała. Wcale jej nie widać. W końcu wzruszam ramionami i wołam:

— Jestem, ciociu! Już idę!

XI
Srebrna nić

Gdzie byłeś?! — wykrzykuje ciotka na mój widok, gdy wchodzę do jadalni.

Stoi w jadalni obok długiego stołu. Na policzkach ma rumieńce, okulary jej się przekrzywiły, a włosy, zawsze starannie zaczesane do tyłu i spięte metalowymi wsuwkami, sterczą na wszystkie strony.

— Nigdzie — wzruszam ramionami.

— Jak to nigdzie?! Jak to nigdzie?! Czy ty wiesz, co ja przeżyłam? — ciotka dopada mnie jednym susem i łapie za rękaw kurtki.

— Co przeżyłaś? — pytam, odsuwając się nieco.

— Cały Brzeg schodziłam! Biegałam od domu do domu jak szalona! Nikt cię nie widział!

— Bo nie wychodziłem z domu.

— Chyba chcesz, żebym dostała ataku serca — ciotka siada z rozmachem na krześle. — Jak to nie wychodziłeś z domu? Sprawdziłam wszystkie pokoje! Gdzie się schowałeś?

— Schowałem? Nigdzie się nie schowałem...

— Łukasz! Czy ty pomyślałeś... Czy chociaż przez chwilę się zastanowiłeś...

— Nad czym się miałem zastanawiać? — pytam, ukradkiem rozglądając się po pokoju w poszukiwaniu srebrnej nitki.

— Jestem za ciebie odpowiedzialna, rozumiesz? — Ciotka wpatruje się we mnie zrozpaczonym wzrokiem. — Czy masz pojęcie, co ja bym zrobiła, gdyby coś ci się stało?

Gapię się na nią i wzruszam ramionami.

— Nikt cię nie zmusza.

— Do czego mnie nikt nie zmusza?

— Żebyś mnie tu trzymała. A zresztą, gdy tylko mama się obudzi...

— A co, jeśli się nie obudzi? — pyta ciotka.

— Oczywiście, że się obudzi! — teraz ja prawie krzyczę. — Pewnie chciałabyś, żeby się nie obudziła, ale ona się obudzi! I wtedy zrobi z tym wszystkim porządek! Będziesz musiała oddać nam nasze rzeczy i... i...

I co jeszcze? Milknę, bo nie wiem, co powiedzieć. Najchętniej odwróciłbym się na pięcie i poszedł do swojego pokoju. Albo w ogóle przed siebie, byle dalej stąd! Tylko... Gdzie poleciała ta nitka?

— Nienawidzę cię! — wykrzykuję.

— Łukasz...

— A żebyś wiedziała!

Ciotka wpatruje się we mnie przez kilka sekund nieruchomym wzrokiem. Z takim okropnie smutnym wyrazem twarzy, od którego robi mi się nieswojo. Wolałbym, żeby się rozzłościła na mnie. Nagle schyla głowę i chowa twarz w dłoniach. Siedzi tak przez moment i widzę, że spomiędzy jej palców wypływa jedna kropla. Za nią druga, trzecia... Płacze?

— Ciocia, no co ty? — pytam.

Nie odzywa się. Przełykam głośno ślinę, bo coś zaczyna dławić mnie w gardle.

— No, ciocia... Przestań — mówię, poklepując ją po ramieniu. — Ja tak tylko ze złości powiedziałem.

Milczy.

— Dobra. Będę chodził do tej głupiej szkoły — próbuję jeszcze.

— Oj, Łukasz... Przecież mi wcale nie chodzi o szkołę — odzywa się wreszcie ciotka, zdejmując okulary i ocierając oczy.

— A o co chodzi?

— Chyba nie dam rady.

— Z czym nie dasz rady? — pytam.

— Nie nadaję się do tego.

— Do czego?

— Nie mam pojęcia o wychowywaniu dzieci! Nie potrafię do ciebie dotrzeć, nie wiem, jak z tobą rozmawiać. „Wysoki Klif" rozsypuje się w oczach, a przez ten sezon zarobiłam za mało, żeby coś tu wyremontować. Boję się, że w ogóle może mi zabraknąć pieniędzy do wiosny. A co z ogrzewaniem? Dach przecieka w przybudówce, w pawilonie zbutwiała podłoga, trzeba wysypać podjazd żwirem, bo jest pełno dziur. Mam tego wszystkiego dosyć! Od dwunastu lat sama zajmuję się tym domem i po prostu już nie mam siły.

— No, to trzeba mnie było nie zabierać od Cebulki — mówię nieprzyjaznym tonem, ale już tylko z rozpędu, bez przekonania, a ciotka wzdycha ciężko.

— Przecież zdajesz sobie sprawę, że nie mogłeś u niej zostać. Gdybym cię nie zabrała, już byłbyś w domu dziecka. Naprawdę byś to wolał?

Milczę przez chwilę i wbijam wzrok w blat stołu. Oczywiście, że wolę być tutaj niż w domu dziecka, głupie pytanie. Zresztą ciotka Agata w sumie nie jest taka zła, kiedy się nad tym zastanowić. Tak naprawdę najbardziej w niej przeszkadza mi to, że nie jest moją mamą, a to nie jej wina.

— Mogę pomóc — odzywam się wreszcie cicho. — I nie przejmuj się tak mną, bo ja umiem sobie dawać radę. Pomogę ci z „Wysokim Klifem", z tym żwirem na przykład.

— Łukasz, jak mi możesz pomóc? Przecież ledwo się poruszasz. Czy myślisz, że nie widzę tego, jak cię bolą nogi? To ja powinnam zająć się tobą, ale nie wiem jak.

— Nic trudnego — wzruszam ramionami. — Mama zajmowała się mną przez całe życie.

— Ale ja nie jestem twoją mamą.

— Nie jesteś. Ale jesteś jej siostrą, a siostry są do siebie podobne, nie? Macie takie same geny. Więc jeżeli ona umie, to i ty też. A poza tym już mnie nie boli. Widzisz? Przyszedłem bez kuli. Jakoś sobie poradzimy.

Ciotka zakłada okulary, pociąga nosem i spogląda na mnie zaczerwienionymi oczami. Milczy przez długą chwilę, wreszcie potrząsa lekko głową.

— Chyba nie mamy wyjścia, co? Na pewno jesteś głodny. Zrobię ci coś.

— Nie, nie jestem. Zresztą mogę sobie coś wziąć sam. Potrafię otworzyć lodówkę, wiesz? Myślę, że powinnaś sobie odpocząć.

— Na pewno? — pyta ciotka.

— Oczywiście.

— Może w takim razie rzeczywiście położę się na pół godziny. Góra na godzinę. A potem zrobimy kolację.

— Zrobimy! — kiwam głową i uśmiecham się do niej. — Odtąd wszystko już będzie dobrze.

Bardzo, ale to bardzo się mylę.

Ciotka śpi w pokoju na górze, a ja siedzę na fotelu obok kominka w jadalni. Na dworze znowu siąpi deszcz, świat niknie w sinej mżawce za oknami „Wysokiego Klifu". Kiedy wyciągam szyję, widzę blady zarys barierki odgradzającej pobocze od przepaści — za nią jest mglista pustka. W domu zrobiło się chłodno, owijam się ciaśniej kurtką taty. Ciekawe, kiedy ciotka włączy ogrzewanie.

Dokąd poleciała nitka? Pewnie donikąd. Pewnie zaczepiła się o któryś obraz albo żyrandol i w końcu ciotka wciągnie ją do odkurzacza razem z pajęczynami. Nie ma się czym przejmować.

Nigdy nie zajrzę już przez niebieskie drzwi do srebrnego świata. Nie ma mowy. Co mnie podkusiło, żeby iść tą ścieżką? Z drugiej jednak strony, gdybym nie poszedł, kolano nadal by mnie bolało. Jak mówi Cebulka — nie ma tego złego, coby na dobre nie wyszło. Ale tego całego Krwawca wolałbym nie oglądać na oczy już nigdy więcej.

Wychodzę na ganek, żeby popatrzeć na deszcz. Kamień, którym rzucił we mnie Pchełka, ciągle leży obok balustrady. Strącam go w gęstą trawę rosnącą przy domu. Upada z cichym szelestem. Jest strasznie cicho, nie słychać żadnych aut ani śmiechów, ani głosów, ani odległych dźwięków telewizora. Nawet morza nie słychać.

Może to przez tę mglistą mżawkę, może ona wszystko tłumi? A może jest tu tak zawsze, kiedy nie ma turystów? Straszne... W Warszawie nigdy nie było aż tak cicho, nawet w środku nocy.

Wracam do środka i zamykam za sobą drzwi. Uderzają w futrynę, dźwięk wydaje mi się niezwykle głośny. Na zewnątrz nic nie słychać, ale w „Wysokim Klifie" panuje taka cisza, że... Nie wiem, można by ją kroić nożem. I te wszystkie puste pokoje, korytarze, strychy, pokoje... Nitka od Krwawca może być dosłownie wszędzie. Przenika mnie lodowaty dreszcz, chociaż skórzaną kurtkę mam zapiętą pod samą szyję, a pod nią grubą bluzę z kapturem. Idę do swojego pokoju i kładę się na łóżku. Nie zamykam niebieskich drzwi — zostawiam je uchylone. Przez chwilę przyglądam się zaciekowi na suficie. Wcale nie wygląda ani jak kontynet, ani jak strzałka, ani jak piorun. Raczej jak wykrzyknik. Zamykam oczy na chwilę, a gdy je otwieram, za oknem jest już prawie ciemno.

— Ciociu? — wołam, wychodząc na korytarz. — Śpisz jeszcze?

Cisza. Drzwi do pokoju ciotki są otwarte, zaglądam do środka. Łóżko jest starannie przykryte beżową kapą, pilot od telewizora leży obok odbiornika. Cały pokój wysprzątany, sprawia wrażenie, jakby nikt tu nie mieszkał. Ciotki ani śladu. Pewnie zeszła na dół i robi kolację. Już mam wyjść, kiedy nagle coś zwraca moją uwagę. Coś mi nie pasuje. Spoglądam jeszcze raz na pokój, marszcząc brwi. Wygląda tak jak zawsze, ale... Wciągam powietrze nosem. Zapach! Zapach jest inny. U ciotki pachniało zawsze mydłem i w powietrzu czuć było wilgoć — jak w całym „Wysokim Klifie". Jednak teraz powietrze jest suche i ma zapach czegoś znajomego, delikatnego... Puder? Ale przecież ciotka się nie maluje. Może zaczęła? W końcu jest kobietą, na pewno ma jakieś kosmetyki. Nawet Stasiowa ma – sam widziałem, jak raz, gdy wychodziła po pracy z pensjonatu, wyjęła z torebki jaskrawoczerwoną szminkę i malowała sobie usta.

– Ciocia? – wołam jeszcze raz na korytarzu.

Nie odpowiada. Idę na dół. Schody i hol na parterze toną w mroku. Włączam kinkiet i wchodzę do jadalni. Tu też jest ciemno.

– Jesteś? – wołam.

Zapalam żyrandol. Pusto. Zaglądam do korytarzyka prowadzącego do kuchni. Przez szyby w drzwiach przenika nikła poświata. Otwieram je.

– Ciocia?

Ciotka jest w kuchni. Stoi przy kuchence odwrócona plecami do wejścia. Nie związała włosów. Po raz pierwszy widzę, jakie są długie, sięgają jej prawie do połowy ud i zakrywają jej ramiona jak brązowosrebrny płaszcz. Ciekawe, dlaczego ich nie farbuje? Mama zawsze farbuje włosy.

– Ciocia, wołałem cię – mówię. – Nie słyszałaś?

– Zaraz będzie kolacja – po długiej chwili odpowiada cicho ciotka.

Tak cicho, że prawie jej nie słyszę. Omijam stół i podchodzę do szafek kuchennych.

– Wołałem cię – mówię.

– Tak? Nie sssłyszszszałam – ciotka nie patrzy na mnie i powolnym, miarowym ruchem miesza drewnianą łyżką jakieś brązowe kawałki skwierczące na patelni.

W kuchni włączona jest tylko mała lampka stojąca na parapecie okna.

— Dlaczego tu tak ciemno? — pytam, wracam do drzwi i naciskam włącznik przy futrynie.

Pomieszczenie zalewa jasne światło lampy wiszącej pod sufitem. Ciotka prostuje się i odwraca w moją stronę, trzymając patelnię i drewnianą łyżkę w dłoniach. Ma pochyloną głowę, włosy zasłaniają jej twarz. Nagle robi mi się jakoś nieswojo.

— Ciocia?

— Wyjmij talerze — cichym głosem mówi ciotka.

I nagle podnosi głowę, spoglądając mi prosto w oczy. Włosy spadają na bok, a ja mimowolnie podnoszę dłoń i zasłaniam sobie usta, opierając się plecami o framugę. Ciotka jest stara. Dużo starsza, niż była jeszcze kilka godzin temu. Jej skóra ma szarawy, ziemisty kolor i pocięta jest zmarszczkami. Ale najgorsze są oczy. Wydają się ogromne w zapadniętej, pomarszczonej twarzy. I są niemal całkiem białe. Zniknęły szarozielone tęczówki, zostały tylko białka i maleńkie jak ziarnka pieprzu, czarne źrenice.

— Ciocia? — wyjąkuję po chwili.

Ciotka przechyla głowę na bok, nie odrywając ode mnie spojrzenia. Włosy spadają jej na policzek. Kiedy je wiązała, nie widziałem, że aż tyle jest w nich srebrnych nitek.

— Wyjmij talerze — szepcze ciotka. — Póki ciepłe.

— A co... — urywam, przełykam ślinę i zaczynam znowu: — A co na kolację?

— Kaszszszanka — szepcze ciotka. — Lubiszszsz kaszszszankę?

Mam wrażenie, że podłoga kołysze mi się pod nogami i żołądek zaciska mi się jak pięść. Jednak spotykam Krwawca ponownie. Jest w mojej ciotce, a może to ona nim się staje. To ta nić! Co ja narobiłem?!

Kobieta podchodzi do stołu i stawia gorącą patelnię na blacie. Potem wyjmuje z kredensu talerze i widelce.

— Ssssiadaj, Łukaszszsz — mówi, zajmując miejsce za stołem.

Światło lampy pada na nią prosto z góry. Włosy połyskują srebrzyście i mienią się, zupełnie, jakby się wolno poruszały, niczym wodorosty pod powierzchnią falującego morza. Serce bije mi jak oszalałe, ale podchodzę do krzesła i siadam naprzeciw ciotki. Siedzi bez ruchu z oczami wbitymi w blat.

— Ciociu, co ci jest? — pytam drżącym głosem, splatając pod stołem palce z całej siły.

Przez kilka sekund nie odpowiada. W końcu wzdycha cicho.

— Jedz. Bo wystygnie — teraz jej głos brzmi niemal normalnie. — Chyba się przeziębiłam.

— Przeziębiłaś się? — pytam głupio.

Ciotka powolnym ruchem sięga po rączkę patelni, unosi ją i zgarnia na mój talerz kopiastą porcję kaszanki. Kaszankę robi się z krwi — przychodzi mi do głowy bezsensowna myśl.

— Nie wiem, co się ze mną dzieje — ciotka odstawia patelnię i przeczesuje palcami włosy.

Z przerażeniem widzę, że na jej dłoni zostaje kilka srebrzystych, długich pasm. Oplątują jej rękę, ciotka bezwiednie strzepuje je na podłogę, wykonując palcami taki ruch, jakby wsypywała sól do garnka. Pasemka opadają wolno na deski, niemrawo wiją się na nich przez kilka sekund i nieruchomieją. Wpatruję się w nie okrągłymi jak spodki oczami.

— Posssspieszszsz sssię — szepcze ciotka.

Przenoszę wzrok na jej twarz i napotykam rozpaczliwe, niemal błagalne spojrzenie. Przez moment mam wrażenie, że pogania mnie, żebym szybciej jadł. Ale kiedy dostrzegam wyraz oczu ciotki, wiem, że chodzi o coś innego. Ona prosi mnie o pomoc. Ale jak mam pomóc? Co mogę zrobić?

Deszcz ciągle mży, gdy wypadam na ulicę i biegnę nią, utykając. Barierka przy brzegu klifu jest jedyną granicą oddzielającą Brzeg od szumiącej cicho, nieprzeniknionej czerni. Dobiegam do zielonego domku za kioskiem i dopadam wejścia.

— Pani Stasiowa! — krzyczę, dobijając się do drzwi domu. — Pani Stasiowa!

Zasuwa odblokowuje się po paru sekundach i Stasiowa spogląda na mnie przez szparę w drzwiach z niezadowoloną miną. Wszystko mi jedno, niech sobie tak na mnie patrzy do końca świata, byle tylko nam pomogła.

— Co jest? — pyta złym głosem.

— Pani Sasiowa, z ciocią jest źle! — wykrzykuję. — Niech pani pójdzie ze mną.

— Źle? — pyta Sasiowa i spogląda przez ramię w stronę wejścia do pokoju, z którego dobiegają dźwięki telewizora. — To jutro zajrzę.

— Niech pani teraz przyjdzie! — wołam błagalnie. — Jutro... Jutro może być za późno!

Stasiowa przygląda mi się złym okiem przez długą chwilę, wreszcie cofa się i mamrocząc coś pod nosem, bierze z wieszaka płaszcz.

— Na taki deszcz będę chodziła... — mruczy pod nosem, zatrzaskując drzwi i schodząc ze mną po schodkach prowadzących do przedsionka. — Co jej jest?

Nie wiem, co jej odpowiedzieć. Przecież nie opowiem Stasiowej o srebrzystym świecie za niebieskimi drzwiami ani o ważkowatym ptaku, opuszczonym miasteczku, Krwawcu i o nitce... W życiu by mi nie uwierzyła, mam na tyle rozsądku, żeby to wiedzieć. Ja sam nigdy nie uwierzyłbym w to wszystko, gdybym tego nie przeżył.

— Mówi, że się przeziębiła, ale... — urywam, bo Stasiowa zatrzymuje się jak rażona gromem.

— Przeziębiła? I po to mnie z domu wyciągasz o tej porze?! — cedzi przez zęby.

— Ale to nie jest przeziębienie! — wołam. — To na pewno nie jest przeziębienie. Jej twarz się... Włosy jej wychodzą i ma takie... takie dziwne oczy.

— Skoro już tu doszłam, to do niej zajrzę. Ale uważam, że ciotka powinna ci spuścić solidne manto. Przydałoby się. — Stasiowa zaciska zęby i idzie dalej.

Wchodzi pierwsza do holu „Wysokiego Klifu", ja tuż za nią. Rozpina płaszcz i pociąga nosem.

— Co tu takie suche powietrze? — pyta. — Gdzie ona jest?

— Była w kuchni jeszcze przed chwilą — biegnę, utykając, do jadalni, ale Stasiowa nie idzie za mną.

Wracam po chwili.

— Idzie pani?

Stasiowa splata dłonie na brzuchu i przygląda mi się z uniesioną brwią i krzywym uśmieszkiem.

— Od razu wiedziałam — mówi wreszcie — że ta twoja laska i stękanie to jeden cyrk.

— Słucham? — pytam zbaraniałym głosem.

— A słuchaj, słuchaj. Jak chcesz, to możesz bez laski chodzić i to całkiem szparko, jak widzę.

— Ja wcale... To nie tak, dopiero dziś mnie przestało boleć — wyjąkuję. — Dlaczego pani tak mówi?

— Jak mi tylko Agata powiedziała, że cię do siebie bierze, to ja od razu jej mówię: napyta sobie pani biedy.

— Ale dlaczego... — zaczynam, jednak kobieta nie pozwala mi dokończyć i wpada w słowo:

— Dlaczego? A dlatego! Twoja matka zawsze była postrzelona, same kłopoty z nią były. A ten fircyk, co to się przyplątał? Jeszcze gorszy, jak tylko się dowiedział, że jest kłopot, z miejsca się zawinął i tyleśmy go wszyscy widzieli. Twoja babka była moją najlepszą przyjaciółką, razem się chowałyśmy, jak siostra dla mnie była. A przez ciebie twoja matka od niej uciekła i jej serce złamała!

— Ale... Ale to przecież nie moja wina...

— Powiedzmy. Krew nie woda, nie ma mowy, żeby się dziecko w rodziców nie wdało. Niepotrzebnie Agata sobie taki kłopot na głowę ściągnęła, już i tak ma dosyć zmartwień z tym domem.

Stasiowa wymija mnie i wchodzi do jadalni. Zostaję w przedpokoju. Na ułamek sekundy zalewa mnie fala wściekłości na tę staruszkę. Jakim prawem mówi mi takie rzeczy?! Przecież nawet mnie zna, nie wie nic ani o mnie, ani o mojej mamie! Ale już po chwili złość mija. Co ona mnie obchodzi? Jeżeli tylko pomoże ciotce...

— W kuchni jej nie ma — oświadcza Stasiowa, stając na progu jadalni. — Ani chybi poszła do siebie, skoro źle się czuje.

Rusza w stronę schodów, a ja idę za nią bez słowa. Stasiowa zatrzymuje się przed drzwiami pokoju ciotki, puka i naciska klamkę. Próbuję wejść za nią, ale odpycha mnie lekko.

— Ty tu zostaniesz — rzuca i zamyka mi drzwi przed nosem.

Nasłuchuję przez chwilę bez tchu, ale z pokoju nie dobiega mnie żaden dźwięk. Opieram się o słupek przy barierce schodów i czekam. Nie wiem jak długo, ale wydaje mi się, że całe wieki. Już mam wejść do środka, kiedy drzwi otwierają się i w progu staje Stasiowa.

— I co? — pytam natychmiast.

— A co ma być? Nic — Stasiowa schodzi do holu.

— Ale widziała pani, co się z nią dzieje?

— A co miałam nie widzieć? Widziałam — wzrusza ramionami.

— Może trzeba kogoś wezwać — mówię. — Może pogotowie?

— Do reszty chyba zgłupiałeś — Stasiowa spogląda na mnie z niesmakiem.

— Ale przecież...

— Agacie nic nie jest! Zawracasz głowę. Zmęczona jest tylko, i tyle. No, może trochę się podziębiła.

— Ale przecież jest całkiem szara! — wykrzykuję. — I stara! Widziała pani jej oczy?

— Stara, zaraz stara. Nikt się nie robi młodszy, ty też. Poleży w łóżku i za dwa dni będzie zdrowa. A ty jej pomóż, zamiast komedię robić. Herbaty zaparz, kanapki jakie przynieś — Stasiowa zapina płaszcz i nagle z niesmakiem strzepuje rękę.

Na podłogę wolno opada kilka nieruchomych, cieniutkich jasnych nitek.

— Co tu tyle pajęczyn? — mówi do siebie Stasiowa, wykrzywiając twarz. — Dopiero co wszystko było sprzątane.

— To nie są pajęczyny! — wykrzykuję doprowadzony do rozpaczy. — To nici Krwawca! Ja wszedłem przez niebieskie drzwi do jego świata! Najpierw myślałem, że tam jest fajnie, ale potem spotkałem tego starego dziada i on... on coś mi zrobił, żeby kolano mnie nie bolało. A w zamian dał mi taką nitkę. I ja ją tu przyniosłem! A teraz... To wszystko moja wina!

Stasiowa nieruchomieje i przygląda mi się z wysoko uniesionymi brwiami. Przez długą chwilę nic nie mówi, wreszcie potrząsa głową i dopina ostatni guzik płaszcza.

— Coś mi się zdaje, że ty jesteś nieźle trzaśnięty. Ale ja od razu mówiłam. Skończ te głupoty i kładź się spać! Tylko zamek za mną przekręć, bo klucza nie wzięłam.

— Nie jestem trzaśnięty! — wykrzykuję. — Jeżeli szybko czegoś nie zrobimy, wydarzy się coś strasznego! Tak jak w tamtym świecie!

— Banialuki — stwierdza Stasiowa i wychodzi, zamykając za sobą głośno wejściowe drzwi.

Chce mi się płakać. Stoję w holu obok przejścia do jadalni i opuszczam głowę. Nikogo tu nie znam, nawet nie mogę do nikogo zadzwonić. Bo do kogo? Do Cebulki? Ona nic nie rozumie, a poza tym co może zrobić? Jest zbyt daleko. Policja? Wyśmieją mnie. Gdyby mama się obudziła... Ona wiedziałaby, co robić! Zwijam dłonie w pięści. Na pewno nie będę się mazał! Sam znajdę wyjście, sam sobie poradzę! Trzeba się tylko nad tym dobrze zastanowić. Wchodzę na górę i siadam na swoim łóżku. A więc po kolei:

Ciotka staje się Krwawcem, ale jeszcze nim nie jest. Przy kolacji chwilami mówiła swoim normalnym głosem. Poza tym nitki, które wyszły z jej włosów, nie ruszały się same. No, przez chwilę tak, ale szybko zdechły, a tamta nić, którą przyniosłem, była szybka i zwinna. Co to znaczy? Znaczy to, że albo ciotka nie przeszła przemiany do końca, albo w naszym świecie wygląda to inaczej. Chociaż raczej nie — jeśli u nas nici nie mogłyby żyć, wtedy tamta przyniesiona zza niebieskich drzwi też by raz dwa umarła. Czyli ciotka jeszcze nie całkiem stała się taka jak Krwawiec. Może więc nie zmieni się całkiem? Może to jest tak jak z katarem? Wyleczy się samo? To niewykluczone, ale wątpliwe. Nic nie wiem o Krwawcu! Nie wiem, skąd się wziął, co stało się w tamtym srebrnobłękitnym świecie. Dlaczego wszyscy mieszkańcy miasteczka zniknęli? Krwawiec mówił, że jest tam JUŻ tylko on jeden. Zabił ich? Nie wiem! Nawet jeśli tak się stało, to musiało być to bardzo dawno temu, sądząc ze stanu domów. A te dziwne napisy na szyldach sklepów? Na pozór brzmią jak normalne słowa, choć są całkiem poplątane. Ale Krwawiec mówił zwyczajnie. Prawie. To wszystko w ogóle nie trzyma się kupy! Nie poradzę sobie sam...

Spoglądam na niebieskie drzwi. Nie mogę tam wrócić. Ten dziwaczny ważkowaty ptak tylko na to czeka. A gdybym zabrał ze sobą jakąś broń? Tylko co? Nóż do niczego by się nie przydał. Więc co? Łopatę? Patelnię? Śmiechu warte. Potrzebna byłaby jakaś sieć. Może ciotka ma coś, co by się nadało? Ale tak czy siak nie pójdę tam w nocy, nie mam nawet latarki. Powinienem zajrzeć do ciotki.

Drzwi do jej pokoi są zamknięte. Nabieram tchu i pukam lekko. Nie odpowiada. Odczekuję kilka sekund, nasłuchując z uchem przyklejonym do drzwi. Cisza. Wypuszczam powietrze i naciskam klamkę.

— Ciociu? — pytam, zaglądając do małego przedpokoju.

Powietrze jest tak suche, że aż kręci mnie w nosie. Zaglądam do sypialni – łóżko jest nietknięte, beżowa kapa leży tak samo gładko zaścielona jak przedtem.

– Jesteś tu? – wołam lekko drżącym głosem.

Przechodzę do większego pokoju, tego, w którym stoi telewizor. Mała lampka stojąca na meblościance jest włączona, ale daje mało światła.

– Ciocia, gdzie jesteś? – pytam znowu.

Może zeszła na dół? Ale nie, to niemożliwe – przecież cały czas byłem na korytarzu. Może poszła na górę? Na drugie piętro albo na strychy? Tylko po co? Odwracam się, żeby wyjść z pokoju, i wtedy ją widzę. Ciotka Agata stoi twarzą do ściany w mrocznym kącie, między zasłonkami a kanapą. Zupełnie jak niesforny uczeń postawiony do kąta przez nauczyciela.

– Ciociu, dlaczego się nie odzywasz? – mój głos brzmi piskliwie. – Dlaczego tam stoisz? Nie chcesz się położyć do łóżka? Zrobię ci herbaty.

Ciotka się nie odzywa. Stoi nieruchomo w kącie, pasma jej włosów poruszają się leniwie, choć może mi się tylko wydawać. Najgorsze, że nie widzę jej twarzy...

– Przestań! – wykrzykuję. – Dlaczego nic nie mówisz?

Ani drgnie, ale długie, srebrzyste pasemka poruszają się mocniej! Wyraźnie to widzę, wcale mi się nie wydaje. Chociaż w kącie panuje mrok, dostrzegam przesuwające się słabe lśnienia światła żarówki odbijającego się od nich! Na ułamek sekundy strach paraliżuje mnie całkowicie. Zaraz zacznę krzyczeć! Odwracam się, wypadam na korytarz i biegnę do swojego pokoju. Zatrzaskuję za sobą niebieskie drzwi i przekręcam klucz pod klamką. Za oknem jest zupełnie ciemno. Widzę w szybie swoje odbicie

— rozszerzone strachem oczy i bladą twarz. Co teraz? Nawet nie mogę nigdzie zadzwonić, bo nie mam impulsów na karcie, a nie zejdę do biura, wykluczone! Sprawdzam godzinę. Jest już po jedenastej. Wpełzam na łóżko w butach i kurtce. Poczekam, aż się rozjaśni. I rano pójdę po pomoc. Na pewno nie do tej głupiej, starej Stasiowej! Na policję. Tylko że w Brzegu nie ma posterunku. Ale najwyżej po nich zadzwonię. Ktoś na pewno mi pomoże!

Zwijam się w kłębek na łóżku, a po namyśle wpełzam pod kołdrę. Kiedy byłem bardzo mały, zawsze wydawało mi się, że pod kołdrą jest bezpiecznie. Nie gaszę światła. Odwracam się plecami do okna. Powinienem był zasunąć zasłonki. Teraz mam wrażenie, jakby ktoś przyglądał mi się z mroku za szybami. Minuty mijają strasznie powoli, z wnętrza „Wysokiego Klifu" nie dobiega najlżejszy nawet szmer. Szkoda, że nie mogę zasnąć, myślę, wciskając głowę w poduszkę. Gdybym zasnął i obudził się jutro, wszystko na pewno byłoby dobrze. Zawsze tak jest — kiedy człowiek się budzi, świat wygląda lepiej.

Jednak w końcu zasypiam. Ale tym razem, gdy się budzę, wcale nie jest lepiej. Wręcz przeciwnie.

XII

Monika, Pchełka i Zgryz przybywają na pomoc

Coś z łoskotem uderza na korytarzu. Siadam na łóżku jak rażony prądem i resztki snów w mgnieniu oka ulatują mi z głowy. Coś mi się śniło, ale nie pamiętam dokładnie... Szpital? Chyba tak, ciągle mi się śni szpital. Była tam też mama, ale nie spała. Trzymała mnie za rękę i coś mówiła. Obudź się! Powiedziała „obudź się", pamiętam jednak. A potem usłyszałem łoskot na korytarzu. Ciotka? Odgarniam kołdrę i pochodzę na palcach do niebieskich drzwi. Cisza. Chociaż nie, słyszę całkiem wyraźnie jakiś szelest po drugiej stronie. Przenoszę wzrok na klamkę i marszcząc brwi, przyglądam się dokładniej. Co to jest? Wokół dziurki od klucza widać srebrzysty nalot. Taki sam jest na framudze wzdłuż brzegów! Jakby z zewnątrz wciskał się srebrny pył. Dotykam go palcem i rozsmarowuję na dłoni. Przypomina pyłek pokrywający skrzydło ćmy. Wyjmuję komórkę z kieszeni i sprawdzam godzinę. Właśnie minęła ósma, całkiem długo spałem. Przykładam ucho do drzwi, ale szmer po drugiej stronie ustał. Za oknem już nie pada. Niebo ma kolor ołowiu, gęste chmury wiszą tuż nad Brzegiem. Powoli sięgam do klucza i najostrożniej, jak umiem, przekręcam go w zamku. Trzask – dźwięk otwierającego się zamka brzmi jak wystrzał, krzywię się i obracam klucz po raz drugi. Cisza. Naciskam powolutku klamkę, drzwi uchylają się ze skrzypnięciem. Na korytarzu panuje mrok. Ciotki nie widać. Otwieram szerzej drzwi i rozglądam się na boki. Od strony schodów pada lekki poblask dziennego światła, reszta niknie w ciemności. Drzwi do pokoi ciotki są otwarte! Wciągam głośno powietrze do płuc. Ściany i podłogę korytarza pokrywa ten sam srebrny, delikatny pył. Wychodzę ze swojego pokoju. Mój but pozostawia w kurzu wyraźny ślad. W domu panuje taka cisza, że aż dzwoni w uszach. Ostrożnie ruszam korytarzem w stronę schodów, starając się iść przy samej ścianie, bo tu deski podłogi skrzypią ciszej. Metr, dwa metry. Jestem już prawie przy schodach. Wyciągam szyję i zaglądam do korytarzyka prowadzącego do pokoi ciotki. Nie ma jej. Gdzie poszła? A może ciągle stoi w kącie obok kanapy? Chyba nie, ktoś w końcu otworzył te drzwi, a kto, jeśli nie ona sama? Nieważne. Zejdę teraz cichutko po schodach, dotrę do drzwi wejściowych i sprowadzę po... W tym momencie na moją twarz spada jakaś miękka, delikatna zasłona. Krzyczę z przerażenia i próbuję kucnąć, ale moje lewe, sztywne kolano to uniemożliwia. Tracę równowagę, próbuję uchwycić się ściany, ale zsuwam się po niej i upadam na plecy. I wtedy ją widzę! Ciotka siedzi na suficie korytarza tuż nade mną, jej włosy zwisają w dół, falując leniwie w nieruchomym powietrzu. Przekręca szyję pod nienaturalnie ostrym kątem i wpatruje się we mnie białymi oczami ze źrenicami jak łepki szpilek. Nabieram znowu tchu i wrzeszczę na całe gardło, odpychając się prawą nogą, żeby jak najdalej odsunąć się od miejsca, w którym wisi. Chodnik zwija się pode mną, srebrzysty pył lepi do rąk. Ciotka, przyczepiona do sufitu, drepcze w miejscu i obraca się w moją stronę, nie odrywając ode mnie oczu. Wreszcie przestaję krzyczeć, ale wcale nie dlatego, że już nie chcę krzyczeć — po prostu brakuje mi oddechu. Docieram do drzwi łazienki obok mojego pokoju, opieram się o nie plecami. Chwytam na oślep klamkę za sobą, zawisam na niej i podciągam się, żeby wstać. Błyskawicznie zasycha mi w ustach, nie mogę nawet przełknąć śliny...

— Wieszszsz, Łukaszszsz — szepcze ciotka, wciąż wbijając we mnie oczy — wydaje mi ssssię, że jednak cośśśś mi jesssst...

Wytrzeszczam oczy, a ciotka odrywa jedną dłoń od sufitu i powolnym ruchem przeczesuje włosy. Kilka jasnych pasm pozostaje między jej palcami, skręcają się i spadają w dół. Dotykają chodnika, pełzną po nim w moją stronę, jednak nieruchomieją po kilku sekundach. Otwieram usta, żeby coś powiedzieć, ale głos więźnie mi w gardle. Ciotka znowu się obraca, drepcząc w miejscu — zupełnie jak pająk. Przechyla głowę, patrzy na mnie z ukosa przez moment, a potem odrywa wzrok i rusza w stronę swojego pokoju. Przechodzi z sufitu na ścianę bez najmniejszego wysiłku i znika za nadprożem drzwi. Oddycham głośno, jakbym przebiegł dwa kilometry za jednym zamachem, i oblizuję wyschnięte usta. Teraz! Teraz albo nigdy! Odpycham się od drzwi łazienki i nie zwracając uwagi na to, czy podłoga pode mną skrzypi, czy nie, biegnę, kulejąc, do schodów. Nie patrzę w stronę wejścia do mieszkania ciotki, dopadam barierki i zbiegam w dół. Na samym dole potykam się i upadam na podłogę. Błyskawicznie odwracam się na plecy i spoglądam na schody za sobą. Nie ma jej! Przenoszę wzrok wyżej i aż zachłystuję się z przerażenia. Ciotka przygląda mi się zza drzwi prowadzących do jej korytarzyka. Wisi do góry nogami, widać tylko jej twarz wystającą zza górnej framugi i długie, wijące się włosy, które sięgają poniżej klamki.

— Zrób sssobie śśśśniadanie, dobrze? — szepcze ciotka, lekko przychylając głowę w bok. — Nie najlepiej ssssię dziśśśś czuję...

Wrzeszczę znowu, wstaję błyskawicznie i dopadam drzwi wejściowych. Wybiegam na ganek, zeskakuję ze schodów, znowu prawie przewracając się na wysypanej żwirem alejce. Dokąd biec? Kiosk jest najbliżej! Kulejąc, podbiegam do chodnika i skręcam w stronę Morskiej, ale przystaję po kilku krokach. Kiosk jest zamknięty! Jak to możliwe? Najbliżej mieszka Stasiowa, ale ona mi nie pomoże... Chyba, żeby pozwoliła zadzwonić, na pewno ma telefon!

— Mam wrażenie — rozlega się za moimi plecami niespodziewany, piskliwy głos — że dosyć jasno ci powiedziałem, co cię czeka, gdy cię dopadnę...

Odwracam się jak rażony gromem i widzę Pchełkę, Monę i Zgryza stojących tuż przede mną. Pchełka uśmiecha się krzywo, przyglądając mi się spode łba, Monika stoi krok za nim, Zgryz tuż obok niej z obojętną miną. Za dużo tego wszystkiego. Całe napięcie schodzi ze mnie w ułamku sekundy, nogi się pode mną uginają i opieram się ciężko o murek odgradzający chodnik od parkingu przed „Wysokim Klifem".

— Potrzebuję pomocy — mówię, a po mojej twarzy zaczynają płynąć łzy.

Wszystko mi jedno. Pochylam głowę i przysiadam na krawędzi murku.

Cała trójka gapi się na mnie przez długą chwilę z osłupieniem, wreszcie Pchełka odchrząkuje i odzywa się, ale nieco mniej pewnym siebie tonem:

— Chyba wyraźnie powiedziałem, że jeśli pokażesz się na ulicy, to...

— Oj, Marek, daruj sobie — Monika omija go i podchodzi do mnie. — Co się stało?

— Nie gadaj z nim! — wykrzykuje Pchełka.

— Stary, odpuść — mówi Zgryz.

— Zrobiłem coś okropnego — mówię cicho.

— Co on powiedział? — pyta Zgryz.

— Że zrobił coś mokrego — wyjaśnia Pchełka.

— Mówię, że zrobiłem coś okropnego — odzywam się głośniej. — I moja ciotka teraz...

— Nie żyje?! — wykrzykuje Pchełka. — Zamordował świrniętą Agatę! Wiedziałem!

— Och, zamknij się, Marek! — Monika potrząsa głową ze zniecierpliwieniem. — Nie mam pojęcia, jakim cudem możesz być moim bratem. Chyba podmienili cię w szpitalu zaraz po urodzeniu.

— Co ty gadasz? Nikt mnie nie podmienił! Wszyscy mówią, że jestem taki podobny do dziadka! — zaperza się Pchełka.

— To znaczy, że mnie podmienili — wzdycha Mona.

— Nie, coś ty? Przecież jesteś taka podobna do mamy!

— No to w takim razie mamę też podmienili — stwierdza poirytowanym głosem Monika, a Pchełka wybałusza oczy i gapi się na nią cielęcym wzrokiem.

Monika przez chwilę patrzy na niego z politowaniem, kręci głową i mówi do mnie:

— Dobra, opowiedz po kolei, co się stało.

Wycieram nos wierzchem dłoni, uspokajam się trochę i zaczynam im opowiadać o wszystkim, co wydarzyło się od tamtego popołudnia, gdy do „Wysokiego Klifu" przyjechała ciężarówka „Najtańszych przeprowadzek". Mówię im o awanturze z ciotką, o niebieskich drzwiach, srebrnym świecie i Krwawcu. O nici, którą od niego dostałem, i skutkach, jakie wywołała. W miarę jak opowiadam, oczy Pchełki robią się coraz bardziej i bardziej okrągłe. Zgryz prycha kilka razy z żachnięciem, ale Monika słucha mnie uważnie i nie przerywa mi ani razu.

— A wtedy wybiegłem z domu — kończę wreszcie opowieść i kręcę głową: — Wiem, że to wszystko pewnie brzmi jak jakaś...

— Bzdura — uczynnie podpowiada Zgryz. — Jak żyję nie słyszałem takich idiotyzmów.

— Na suficie? — dopytuje się Pchełka osłupiałym głosem. — Świrnięta Agata biegała po suficie? Jak mucha?

— Raczej jak pająk — prostuję. — I właściwie nie biegała, tylko... Ale nie o to chodzi! Nie wiem, co mam teraz zrobić! I nie wiem, kogo poprosić o pomoc.

— Może psychiatrę? — pyta słodkim tonem Zgryz.

— Zgryz! — Monika rzuca mu złe spojrzenie. — Wcale nie pomagasz.

— Tutaj może pomóc tylko kaftan bezpieczeństwa, moim zdaniem — odcina się chłopak, poprawiając okulary.

— Ja nie zmyślam! I nie zwariowałem... Chyba — kończę nieporadnie.

— Dobra — Monika unosi podbródek i wzrusza ramionami. — Idziemy sprawdzić.

— Co chcesz sprawdzić? — pyta Zgryz.

— Porozmawiamy z jego ciotką.

— To może być trudne — mówię cicho.

— Chyba nie chcesz iść do świrniętej Agaty? — wykrzykuje Pchełka.

— Chcę.

— Do „Wysokiego Klifu"?!

— Dokładnie — kiwa głową Monika.

— Ale przecież tam... — Pchełka zachłystuje się na moment i ciągnie: — Przecież tam straszy!

— Kto ci to powiedział? — ze zdumieniem w głosie pyta Monika.

— Jak to kto? No ty!

— Ja? A, rzeczywiście. Zmyśliłam to — wzrusza ramionami Mona, a Zgryz chichocze cicho.

— Jak to zmyśliłaś?! — woła Pchełka.

— Normalnie, z nudów.

— Ty jesteś jakaś nie tego! A ja się tak bałem... Znaczy się, oczywiście nie bałem, ale... Omijałem ten dom przez tyle miesięcy! Wszystko powiem tacie!

— No to mów.

— Żebyś wiedziała, że powiem!

— Idziemy. Prowadź — Monika kiwa zdecydowanie głową w moją stronę.

Wzdycham głośno i podnoszę się z murku.

— Przecież to jakaś bzdura — szeptem mówi Zgryz do Moniki. — Chyba nie dałaś się nabrać?

— Bzdura, nie bzdura. Zobaczymy. Jedno jest pewne — kiedy go widzieliśmy ostatnio, ledwo chodził, a dziś? Prawie biegł, i to bez kul.

— Bo ja wiem? Dalej utyka — stwierdza szeptem Zgryz.

— Słyszę was, wiecie? — rzucam przez ramię i wchodzę na stopnie ganku. — Będę utykał do końca życia, bo moja lewa noga jest krótsza. Ale już nie boli.

— Podobno teraz robią takie operacje, że można wydłużyć kości — pojednawczym tonem odzywa się Zgryz. — Na pewno ci taką zrobią, jeśli będziesz chciał.

— Myślisz?

— Jasne.

— Wchodzimy? — pyta Monika.

— Tak — kiwam głową i ostrożnie naciskam klamkę.

— Ale przysięgasz, że to zmyśliłaś? — szeptem upewnia się Pchełka.

— Co?

— No, o tych duchach.

— Przysięgam — mówi Monika i pierwsza wchodzi do „Wysokiego Klifu". Ruszam za nią, ramię w ramię ze Zgryzem. Pchełka stoi przez chwilę niepewnie na progu.

— Idziesz czy nie? — pyta Monika, odwracając się do wejścia. — Jeśli nie, to zamknij, bo przeciąg się robi.

Pchełka spogląda z urazą, ale wchodzi do holu i zamyka za sobą drzwi.

Stoimy wszyscy obok długiej lady. Zgryz rozgląda się wokół.

— Trochę upiornie tutaj, nie? — mówi wreszcie. — Nigdy jeszcze nie byłem w tym pensjonacie.

— Ja byłam — wzrusza ramionami Monika. — Normalnie. Nasi dziadkowie mają podobny dom w Rewalu.

— Dom dziadków jest dużo ładniejszy — stwierdza Pchełka. — I nie pachnie w nim tak dziwnie.

— Gdzie ona jest? — pyta Monika.

— Ciotka? Kiedy wychodziłem, była u siebie. Na górze — kiwam głową w stronę schodów.

— No, to idziemy — mówi Zgryz i rusza pierwszy.

Zanim udaje nam się wejść na pierwszy stopień, za naszymi plecami rozlega się syczący szept:

— Jak miło, że przyprowadziłeśśśś gośśści...

Odwracamy się jednocześnie, ale w holu za nami nikogo nie ma.

— Skąd... — zaczyna Monika, ale łapię ją za rękaw i bez słowa wskazuję palcem na sufit.

Tuż obok wyjścia z jadalni, nad drzwiami wejściowymi przyklejona do sufitu siedzi ciotka Agata. Wygląda jeszcze gorzej, niż mi się wydawało. Jest tu więcej światła, więc mogę się jej lepiej przyjrzeć. Gdyby nie gęste, wijące się włosy, które teraz są już całkowicie srebrne, prawie nie różniłaby się od Krwawca. Ta sama wąska, zapadnięta i pomarszczona twarz. Identyczny, spiczasty podbródek i długi nos. Ciotka przechyla głowę i przygląda nam się wytrzeszczonymi, białymi oczami. Nie ma mowy, żebyśmy mogli wydostać się z „Wysokiego Klifu". Odcięła nam drogę ucieczki. Musiała czekać, aż wrócę, zaczaiła się w jadalni. Doskonale wiedziała, że kogoś przyprowadzę. Przedtem ukryła się u siebie na górze tylko po to, żeby mnie zmylić.

Pierwszy zaczyna wrzeszczeć Pchełka, ale dołączamy do niego niemal natychmiast. Ciotka uśmiecha się leciutko i powolutku rusza w naszym kierunku.

— To pułapka! Na górę! — krzyczę. — Szybko!

Wpadamy na schody, przepychając się przy poręczy. Oczywiście są szybsi ode mnie — zanim docieram do połowy schodów, są już na korytarzu piętra.

— W prawo! — wołam. — Za niebieskie drzwi!

Oglądam się w panice przez ramię — ciotka jest tuż za mną! Jej rozpuszczone, srebrzyste włosy wyciągają się w moim kierunku. Wrzeszczę z przerażenia i próbuję wdrapywać się prędzej na schody. Gdy docieram do wysokiego słupka na zakręcie balustrady, srebrne pasemko muska lekko mój policzek. Rzucam się w bok, strzepując je z twarzy gwałtownym gestem. Wpadam do swojego pokoju, zatrzaskując za sobą drzwi. Pchełka, Monika i Zgryz stoją w najdalszym kącie, wpatrując się we mnie z przerażeniem. Jesteśmy w pułapce.

XIII

W PUŁAPCE

Nasłuchuję przez kilka sekund z uchem przyklejonym do drzwi. Na korytarzu jest cicho.

— I co teraz? Co teraz?! Co z nami będzie?! — Pchełka wykrzykuje tak nieoczekiwanie, że aż podskakuję przy drzwiach i uderzam w nie głową.

— Nie słychać jej — mówię, pocierając skroń.

— Wszystko przez ciebie! — woła Pchełka, oskarżycielskim gestem wyciągając w moją stronę palec.

— Przestań — Monika gromi go wzrokiem. — Nie pomagasz.

— Ale co my teraz zrobimy? — Pchełka załamuje ręce i siada na moim łóżku, które ugina się pod nim z jękliwym trzeszczeniem.

— Przede wszystkim trzeba się uspokoić. — Zgryz poprawia okulary nieco drżącą ręką i pyta mnie: — Nie wejdzie tu?

— Chyba nie. Przekręciłem klucz w zamku.

— Musimy zadzwonić po pomoc.

— Racja — kiwa głową Mona. — Do kogo?

— Nie wiem. Do rodziców chociażby. Mój ojciec zrobi z nią porządek.

— Dobra. To dzwoń — kiwa głową Monika.

— Ale... — Zgryz spogląda na nią z zakłopotaniem — nie mam impulsów. Nawet esa nie mogę wysłać.

— A ty? — Monika patrzy na mnie pytająco.

— Tak samo — kręcę głową.

— My mamy szlaban na komórki — wzdycha ciężko Mona. — Więc dzwonienie odpada.

— Dlaczego macie szlaban? — pyta Zgryz.

— Przez rachunki. Mamy abonament, a on bez przerwy bierze udział w jakichś idiotycznych konkursach esemesowych. — Monika wskazuje brodą brata. — Mama się wściekła w zeszłym miesiącu i zabrała nam telefony.

— Przecież wiadomo, że w ten sposób nic nie można wygrać — dziwi się Zgryz.

— Zawsze mu to powtarzam...

— Czy wy wszyscy jesteście nienormalni? — Pchełka zrywa się z łóżka i chwyta za okrągłe policzki. — Świrnięta Agata zasuwa po suficie i chce nas pożreć, a wy gadacie o jakichś bzdurach?!

— No, nie wydaje mi się, żeby chciała nas zjeść — mamroczę, choć bez przekonania.

— Masz rację, Pchełka. Musimy coś wymyślić. Może oknem? — Mona podchodzi do parapetu i przykleja czoło do szyby. — Strasznie wysoko, ale gdyby tak powiązać prześcieradła...

— Mam tylko jedno — wzdycham.

— A poza tym — Pchełka odzywa się z wyraźną urazą w głosie — właśnie, że można wygrać. Tysiące ludzi wygrywa olbrzymie sumy. I ja też wygram, a wtedy będzie wam łyso i będziecie się prosili, żebym...

— Och, weź skończ! — wykrzykuje Mona z irytacją.

— Musimy ją załatwić — oświadcza pełnym determinacji tonem Zgryz. — To jedyne rozwiązanie.

— Mam mały spray na kleszcze — rzeczowym tonem oznajmia Monika.

— Ale to moja ciotka! — włączam się. — Ja nie chcę, żeby jej się stała krzywda. Chcę, żeby była taka jak przedtem. Gdyby przyjechało pogotowie, daliby jej jakieś tabletki albo zastrzyk i zabrali do szpitala, a tam na pewno by...

Milknę, bo cała trójka przygląda mi się z minami pełnymi politowania.

— To mi raczej nie wygląda na grypę, którą można by wyleczyć zastrzykiem — odzywa się Zgryz. — Świrnięta Agata już przepadła.

— Nieprawda! Na pewno można ją wyleczyć. To wszystko zrobiła tylko jedna głupia nitka. Gdyby ją wyciągnąć z ciotki, byłaby taka sama jak przedtem.

— Wystarczy jeden wirus, żeby człowiek się śmiertelnie rozchorował — mówi Zgryz. — Wirus, którego nie widać nawet przez mikroskop. Świrnięta Agata została zainfekowana. I moim zdaniem niedługo sama zacznie zarażać innych.

— Ale mi nic nie jest! — wykrzykuję. — Gdyby miała zarażać, już bym biegał po suficie i miał gębę jak szary rodzynek!

— Przecież mówiłeś, że wychodzą z niej nitki — stwierdza Mona.

— Ale się nie ruszają! To znaczy ruszają się, ale zdychają po chwili!

— Adaptuje się — oznajmia tajemniczo Zgryz.

— Co? — pytam.

— Skoro zaraza przyszła z innego wymiaru, w którym są inne warunki, zanim zacznie szerzyć się w naszym świecie, musi się do niego przystosować.

— A skąd ty niby możesz wiedzieć takie rzeczy? — pyta Pchełka.

— Z telewizji. „Fringe", „Archiwum X". I „Herosi" oczywiście. Zawsze wiedziałem, że to wcale nie jest fikcja.

Na korytarzu, tuż za niebieskimi drzwiami nagle rozlega się szybki tupot.

— Idzie tu! — wrzeszczy Pchełka i jednym susem wskakuje na moje łóżko.

Materac ugina się, jęczy ostrzegawczo, nagle zapada się między drewnianymi bokami i ląduje na podłodze.

— Wcale nie idzie — mówię. — Po prostu sobie przebiegła. A ty zniszczyłeś mi łóżko.

— Nie przejmuj się — odzywa się Zgryz zgryźliwie — bardzo możliwe, że już nie będzie ci potrzebne, bo niedługo pewnie będziesz spał na suficie. Świrnięta Agata prędzej czy później dopadnie wszystkich...

— Przestań! — przerywam mu gwałtownie. — I przestań mówić o mojej ciotce, że jest świrnięta! Dlaczego tak na nią mówicie?

— A widziałeś ją przed chwilą? — pyta Zgryz, ironicznie unosząc jedną brew.

— Ona wcale nie jest świrnięta — mówię złym głosem. — Jest całkiem fajna. Oczywiście w ogóle, to znaczy... Przedtem. Nie teraz.

— No, wiesz — odzywa się Mona. — Twoja ciotka była zawsze taka jakby dziwna.

— Dziwna? Jak to dziwna? — pytam.

— Normalnie. Dziwna — wzrusza ramionami dziewczyna. — Z nikim się nie przyjaźni, najczęściej w sezonie zatrudnia do pracy przyjezdnych, głównie studentów. Nikogo nie zaprasza do siebie. Przez większą część roku prawie nie wychodzi z „Wysokiego Klifu". Jeździ rozpadającą się furgonetką i ubiera w stare szmaty, a przecież ma tyle pieniędzy.

— Ciotka wcale nie ma dużo pieniędzy! Ledwo udaje jej się utrzymać ten pensjonat.

— Nie gadaj — odzywa się Pchełka pełnym politowania głosem. — Wszyscy w Brzegu wiedzą, że ona śpi na kasie! Babcia mówi, że odkąd pamięta, Borscy byli najbogatsi w okolicy i zawsze zadzierali nosa. Macie największy dom!

— Ciotka wcale nie zadziera nosa — mówię ze zdumieniem. — A dom się rozsypuje. Trzeba go wyremontować, a ona nie ma na to pieniędzy. I przecież latem podobno zawsze pracuje tu Stasiowa, a ona jest z Brzegu.

— Stasiowa też jest dziwna. Podobno w jej domu straszy — półgłosem wyjawia Pchełka.

— Kto ci to powiedział? — pyta Monika.

— No jak, kto? Ty mi powie... To też zmyśliłaś?!

Monika wzdycha, podnosząc oczy do sufitu, a Zgryz podchodzi do mnie i opiera dłoń o niebieskie drzwi, przyglądając im się uważnie.

— Naprawdę prowadzą do innego wymiaru? — pyta wreszcie.

— Można je otworzyć do srebrnego świata — wzruszam ramionami. — Nie wiem, czy to jest inny wymiar.

— Musi być! — kategorycznie stwierdza Zgryz i siada w fotelu. — Dobrze, podsumujmy fakty. Po pierwsze, ten cały Krwawiec.

— Tak — kiwam głową.

— Jak twierdzisz, mieszka sam jeden w opuszczonym miasteczku.

— Zgadza się.

— Chodził po suficie?

— Nie. Przynajmniej nie wtedy, kiedy u niego byłem. A dlaczego?

— Nie wiem, zbieram dane. Dał ci nitkę, trzymałeś ją w ręku, ale nie stałeś się taki jak on czy jak twoja ciotka. Dlaczego?

— Nie wiem — wzruszam ramionami.

— Myślę, że to dlatego, że byłeś nosicielem, czyli kimś, kto przenosi zarazę, ale sam na nią nie choruje. Ten cały Krwawiec wypytywał cię o to, ilu ludzi mieszka na ziemi?

— Tak. Dziwił się, że jest ich tak dużo.

— Krwawiec jest źródłem zarazy. Chce opanować nasz świat — stwierdza Zgryz. — Dał ci nitkę, ale ona cię nie zainfekowała. Czyli nad nią panuje, to znaczy nitki robią to, co on chce.

— Nie rozumiem — wtrąca się Monika.

— Czego nie rozumiesz? To bardzo proste — oświadcza nieco zarozumiałym tonem Zgryz. — Nitki nie myślą same. To Krwawiec nad nimi panuje i wydaje im rozkazy. Gdyby tak nie było, nitka zaraziłaby chłopaka, ale tego nie zrobiła, bo Krwawiec chciał inaczej. Jeśli więc zniszczylibyśmy Krwawca, zniszczylibyśmy też te całe nitki. A ponieważ twoja ciotka jeszcze nie ma nad nimi władzy, zostałaby wyleczona.

— Jasne — kiwam głową z zapałem.

— Nie mam pojęcia, o czym wy gadacie — wykrzykuje Pchełka. — Przez te nitki wszystko mi się plącze. Konkretnie, co musimy zrobić?

— To oczywiste — rzeczowo odzywa się Monika. — Musimy przejść przez niebieskie drzwi i dopaść dziada.

— Co?! — Pchełka wpatruje się w nią okrągłymi jak dwuzłotówki oczami. — Ale... Ale dlaczego my?! To nie nasza sprawa! To on ściągnął tu kłopoty!

— Teraz to już jest nasza sprawa — spokojnie mówi Zgryz. — Jeżeli świr... To znaczy, jeżeli pani Agata zmieni się w Krwawca, wszyscy zginiemy. Pozostaną tylko pełne kurzu, opuszczone domy i całkowicie pusty świat.

— Czyli muszę... — zaczynam powoli i urywam.

— Musisz otworzyć przejście między naszymi światami — kiwa głową Monika.

— Ale tam jest ten ptak! Z żądłem, mówiłem wam — protestuję. — Na pewno na mnie czeka.

— Będziemy musieli sobie z nim poradzić — wzrusza ramionami Zgryz.

— Planowałem, żeby zabrać jakąś siatkę albo worek, w który można by go złapać, ale niczego takiego nie zdążyłem zorganizować — wzdycham.

— Siatkę? — Monika z namysłem marszy czoło i rozgląda się po pokoju.

Podchodzi do łóżka, podnosi z niego kołdrę i zdejmuje z niej powłoczkę.

— Mamy już siatkę — oznajmia. — Otwórz niebieskie drzwi.

Przyglądam jej się przez sekundę, w końcu kiwam głową na zgodę.

— To pewnie głupio wygląda — wyjaśniam. — Muszę zapukać, ale nie raz czy dwa, tylko dość długo. Nie śmiejcie się.

— Masz na imię Łukasz, tak? — upewnia się Zgryz, a gdy potwierdzam, ciągnie dalej. — No więc, Łukasz, cokolwiek zrobisz, nie będziemy się śmiali. Zupełnie nie jest nam teraz do śmiechu.

Podchodzę do drzwi, nastawiam stoper w komórce i zaczynam stukać w malowane na niebiesko drewno. Jednak dziś trwa to znacznie krócej — po siódmym uderzeniu czuję, że przejście zostało otwarte. Nieruchomieję na moment. Dlaczego to stało się tak szybko? Za każdym razem portal otwiera się szybciej! A co jeśli... jeśli w końcu wcale nie trzeba będzie pukać? Przejście między światami pozostanie otwarte na zawsze! A wtedy Krwawiec wejdzie tu sam bez najmniejszych problemów! Być może o to mu chodziło! Może ciotka wcale nie stanie się taka jak on. Może ma po prostu pilnować przejścia albo otworzyć je dla niego? Ale to bez sensu! Jeżeli tak miałoby być, zaraziłby mnie. Byłoby dużo prościej. Nic z tego nie rozumiem.

— No i co? — pyta Zgryz. — Zasnąłeś?

— Nie — kręcę głową. — Już.

— Co już? — pyta Pchełka.

— Przejście jest już otwarte. Monika, naszykuj powłoczkę — mówię, ostrożnie naciskam klamkę i pociągam ją do siebie.

XIV

GĄSIENICA W KORKOCIĄGOWYM LESIE

chylam drzwi na kilka centymetrów i przysuwam oko do szczeliny. Za progiem rozpościera się pusta, trawiasta polana, w oddali szumią korkociągowe drzewa. Słońce świeci na fiołkowym niebie, ale jest jeszcze niewysoko — do południa zostały prawie dwie godziny.

— Nigdzie go nie widać — szepczę do Pchełki, Moniki i Zgryza.

Odsuwam się, szeroko otwieram drzwi i wchodzę do srebrnego lasu, rozglądając się na wszystkie strony. Ważkowaty ptak zniknął.

— Dobra, poleciał sobie chyba — mówię i odwracam się w stronę przejścia.

Cała trójka gapi się na mnie, wytrzeszczając oczy i rozdziawiając usta.

— No co? Nie idziecie? Chodźcie, dopóki go nie ma — ponaglam ich niecierpliwie.

— Matko jedyna... — mamrocze Pchełka, przesuwając wzrokiem po trawie, drzewach, a potem patrzy w górę na fioletowe niebo i powtarza: — O, matko jedyna!

— To naprawdę jest... — Zgryz głośno przełyka ślinę i ciągnie: — ...inny wymiar!

— No, przecież wam mówiłem.

Monika potrząsa lekko głową i pierwsza rusza się z miejsca. Staje obok mnie, rozgląda się wokół.

— Tak jakby chyba jednak nie do końca ci wierzyliśmy — mówi.

— Ale teraz wierzymy — oświadcza Zgryz i przechodzi przez prostokątny otwór. — To nie jest ziemia.

— Nie jest — kiwam głową.

— Pchełka, chodź — ponagla brata Monika.

— Zwariowałaś?! — wykrzykuje piskliwie chłopak. — Nie idę! Nie ma mowy.

— Dobra — kiwa głową Mona. — W takim razie zostań i pilnuj ciotki Łukasza.

— CO? Wykluczone! Nie zostanę tu!

— Dopóki przejście jest otwarte, nie wejdzie do pokoju — mówię. — Tak mi się przynajmniej wydaje. Chociaż pewności nie mam.

— To jak? — pyta chłodnym tonem Monika. — Idziesz czy zostajesz?

— Dlaczego dałem się w to wciągnąć?! — płaczliwie woła Pchełka. — O wszystkim powiem ojcu, zobaczysz!

— Jest za tobą! — wykrzykuje nagle Zgryz, a Pchełka w mgnieniu oka przeskakuje na trawę.

Nigdy nie podejrzewałbym, że może być aż tak szybki.

— Gdzie?! Gdzie?! — woła Pchełka, z przerażeniem oglądając się za siebie.

— Nigdzie — wzrusza ramionami Zgryz. — Idziemy. Łukasz, prowadź.

— Oszukałeś mnie! — Pchełka oskarżycielsko wskazuje palcem Zgryza. — Pożałujesz tego!

— Już zaczynam żałować — wzdycha Zgryz.

— Ruszamy? — pyta Mona.

— Ruszamy — odpowiadam. — Do ścieżki szło się chyba tędy.

Przechodzimy przez polankę i wkraczamy między poskręcane, szare drzewa.

— Jak to chyba? — pyta Zgryz.

— Tak mi się wydaje. Kiedy uciekałem przed ptakiem, wybiegłem na polanę mniej więcej w tym miejscu, na wprost przejścia.

— Ładnie pachnie — stwierdza Monika. — Zasypką dla niemowląt. Albo talkiem.

— Mnie to ten zapach przypomina puder, którego używa moja mama — mówię.

Trawa miękko ugina się pod naszymi stopami, okrągłe liście połyskują srebrzyście w promieniach bladego słońca i kołyszą się lekko w podmuchach suchego, ciepłego wiatru. Zgryz staje obok jednego z drzew i uważnie przygląda się korze pokrywającej pień.

— Wcale nie wygląda jak normalne drzewo — stwierdza po chwili. — Jego kora przypomina skórę jaszczurki.

Kładzie na niej dłoń, drzewo drży leciutko. Zgryz błyskawicznie odrywa rękę, jakby się oparzył.

— Poczuło mnie! Widzieliście? Zatrzęsło się! I jest ciepłe. To chyba nie jest roślina, ale... zwierzę!

— Ma liście — stwierdza Pchełka, obojętnie przyglądając się drzewu.

— Niby ma — zamyśla się Zgryz. — Może w tym świecie ewolucja przebiegła zupełnie inaczej? A może to jest jakaś krzyżówka zwierzęcia i rośliny?

— Chodźmy — mówię. — Po drodze będzie jeszcze milion drzew. Napatrzysz się.

Zgryz z żalem odrywa się od szarego pnia. Ruszamy dalej. Zgryz, zapatrzony na otaczające nas drzewa, potyka się co chwilę. Pchełka rozgląda się z ponurą miną, wysuwając dolną wargę.

— Wcale mi się tu nie podoba — mruczy.

— Dlaczego? — pyta Monika. — Przecież jest ładnie. I tak spokojnie.

— Właśnie ten spokój mi się nie podoba. Poza tym nic tu nie rośnie.

— Jak to nie rośnie? Jesteśmy w lesie!

— A co to ma być za las? Nie ma żadnych borówek. Ani jeżyn. Ani nawet grzybów!

— Aha, czyli chodzi ci o to, że nie rośnie tu nic do jedzenia — wzdycha Monika, przewracając oczami. — Ty myślisz tylko o jednym. Popatrz, jakie ładne kolory.

— Dziewczyńskie, moim zdaniem — prycha pogardliwie Pchełka.

— Mojej mamie by się podobały — mówię cicho.

— A twoja mama... — odzywa się po krótkiej chwili Monika. — Ona naprawdę śpi?

— Tak. Nie obudziła się po wypadku. Jest w szpitalu. Dzwonię do niej codziennie. Prawie codziennie — dziś nie zadzwoniłem, bo nie zdążyłem. Śpi, ale się obudzi. Wiem to.

Zgryz dogania mnie i idzie obok.

— Hej, nie chcę iść z tyłu! — protestuje Pchełka.

— Może się obudzić — stwierdza Zgryz. — Podobno zdarzają się przypadki, że ludzie budzą się ze śpiączki nawet po wielu latach. Widziałem w telewizji.

— Daleko jeszcze? — pyta Pchełka. — Nogi mnie bolą.

— Nic ci nie będzie — stwierdza Monika.

— Nie mogę iść szybciej — odzywam się przepraszającym tonem.

W tym miejscu drzewa rosną nieco gęściej. Przystaję na chwilę, żeby nabrać tchu.

— Chcesz odpocząć? — pyta Monika.

— Chcę! — oświadcza Pchełka.

— Pytałam Łukasza.

— Co z tego? Ja chcę odpocząć — stwierdza chłopak i siada na trawie pod drzewem. — I pić mi się chcę.

— Nie mamy nic do picia — mówię, bezradnie rozkładając ręce. — A nigdy nie widziałem tu żadnego źródła ani strumyka.

— To by nie było rozsądne — odzywa się Zgryz — żebyśmy pili albo jedli coś z tego świata. Nie wiadomo, czy byśmy się nie potruli.

— Nie sądzę — Monika przygląda się koronom drzew nad naszymi głowami. — Tutaj jest tak pięknie. Myślę, że to dobry świat.

— To świat Krwawca — odzywa się Zgryz. — Chciałbym przypomnieć.

Nagle Pchełka z przeraźliwym okrzykiem zrywa się na równe nogi, obiega nas i chowa się za Moniką.

— Licha! — wykrzykuje. — Bleh, ohyda!

— Co? — pytam, marszcząc czoło. — O czym ty mówisz? Jaka licha?

— Siedzi na gałęzi! O, tam!

Podchodzę do miejsca, w którym siedział chłopak, i przyglądam się gałęzi wystającej z szarego pnia pół metra od ziemi.

— Nic tu... — zaczynam mówić i urywam nagle, bo ją zauważam.

Tuż przy pniu, w niewielkim rozwidleniu gałęzi siedzi ogromna, szaroróżowa, włochata gąsienica. Ma prawie piętnaście centymetrów długości, dwie pary jasnoniebieskich oczu — dwoje dużych i dwoje małych. Na łepku sterczą jej dwa krótkie różki. Wpatruję się w nią, a ona odwzajemnia mi spojrzenie, lekko przechylając główkę.

— Kurczę, ale wielgachna! — stwierdza Zgryz, zaglądając mi przez ramię, i półgłosem pyta: — Widziałeś już tu takie?

— Nigdy — odszeptuję.

Gąsienica odrywa spojrzenie ode mnie i spogląda na Zgryza.

— Gapi się — szepcze Zgryz.

Monika dołącza do nas, a po chwili również Pchełka. Przyglądamy się szaroróżowej gąsienicy przez długą chwilę, a ona przygląda się nam.

— Wcale się nie boi — szepcze Monika.

— Pewnie nigdy wcześniej nie widziała ludzi — cicho odpowiada Zgryz, nachylając się nad robakiem, żeby lepiej mu się przyjrzeć.

Gąsienica przenosi wzrok na niego, przechyla łepek w drugą stronę i nagle całkiem wyraźnie mówi:

— Chcę uwierzyć.

Głos jest niski, dźwięczny i z całą pewnością męski. Wszyscy czworo, zachłystując się ze zdumienia, robimy krok do tyłu. Gąsienica przygląda nam się jeszcze przez dwie sekundy, a potem zaczyna spokojnie obgryzać rosnący obok niej okrągły liść.

— To coś mówi! — Monika patrzy na mnie osłupiałym wzrokiem. — Odezwała się po ludzku!

— Zapytajmy ją, czy jest tu gdzieś coś do picia — proponuje Pchełka.

Zgryz się nie odzywa. Ze zmarszczonym czołem przygląda się gąsienicy. Jest bardzo blady.

— Hej, w porządku? — pytam go.

Milczy przez długą chwilę, wreszcie potrząsa lekko głową i patrzy na mnie.

— To było... — oblizuje nerwowo wargi. — Ale nie, to niemożliwe!

— Co jest niemożliwe? — pyta Monika.

— Mówiłeś — Zgryz zwraca się do mnie — że tamten dziwny ptak powiedział coś do ciebie...

— Tak. Powiedział „pięćset metrów prosto". To było przerażające, bo mówił głosem pani z GPS-u, takim jak w aucie mamy. Ale dlaczego...

— Moment! — Zgryz podnosi rękę do czoła, zamyka oczy, myśli przez kilka sekund i mówi: — Stałem najbliżej gąsienicy.

— Ja byłem bliżej — prostuję.

— Tak, ale ja się pochyliłem. Monika, podejdź do niej.

— Po co? — pyta dziewczyna.

— Muszę coś sprawdzić. Podejdź do niej blisko i pochyl się nad nią.

— Jeszcze się na nią rzuci! — protestuje Pchełka. — Sam sobie podchodź, zostaw moją siostrę w spokoju!

— Nic mi nie będzie — uspokaja go Mona i zbliża się do gąsienicy.

Ta przestaje przeżuwać liść i patrzy na dziewczynę.

— I co teraz? — pyta Monika.

— Nic nie mów i stój tak przez chwilę.

Gąsienica przechyla łepek w lewo, potem w prawo, nie odrywając niebieskich ślepków od Moniki. A potem nagle odzywa się wysokim, kobiecym, wyraźnie poirytowanym głosem:

— Jak będziesz starsza!

Monika prostuje się jak struna i odwraca na pięcie z pobladłą twarzą, a Pchełka wykrzykuje przerażonym głosem:

— To mama! To był głos mamy!

— O co tu chodzi? — pyta Zgryza Mona. — Mało nie dostałam zawału! Mogłeś mnie uprzedzić!

— Nie wiedziałem przecież, co powie.

— Ale dlaczego ta glista mówi głosem naszej mamy? — zapiewa Pchełka.

— Ona nie mówi. Ona tylko przekazuje. Jak radio — wyjaśnia Zgryz. — Możliwe, że wszystkie zwierzęta w tym świecie mogą robić coś takiego, skoro tak samo zachował się tamten ptak, o którym opowiadałeś.

— Co? — pytam, bo nic z tego nie rozumiem.

— Do ciebie odezwał się jak GPS w aucie, którym rozbiliście się razem z mamą.

— Tak.

— Do mnie... To było z „Archiwum X".

— Z telewizji? — upewnia się Monika.

— Zgadza się. To jest mój ulubiony serial, mam wszystkie sezony w kompie i oglądałem je milion razy. A do ciebie gąsienica odezwała się głosem...

— Naszej mamy! — woła Monika. — Ale nawet nie chodzi o jej głos. Po prostu za każdusieńkim razem, gdy o cokolwiek proszę w domu, mówi mi: „jak będziesz starsza". Słyszę to od zawsze.

— Tak, i masz to w głowie! — wyjaśnia Zgryz. — Mam wrażenie, że ta gąsienica i tamten ptak... Że one potrafią wyciągnąć z głowy jakąś ważną myśl i powtarzają ją. Jak radioodbiornik, rozumiecie?

— Ale po co?

— Nie mam pojęcia — wzrusza ramionami Zgryz. — Chociaż może to być...

— Ciekawe, co wyciągnie z mojej głowy! — wykrzykuje z zapałem Pchełka i pochyla się nad gąsienicą.

Ta przestaje jeść, patrzy na niego przez kilka sekund, a potem wraca do liścia i zaczyna go dalej obgryzać.

— Nic nie powiedziała! — woła zawiedziony Pchełka.

— Może dlatego, że po prostu nie miała nic do powiedzenia, skoro nie myślisz? — odzywa się, chichocząc cicho, Monika.

— Głupi robal! — stwierdza Pchełka, schyla się, podnosi z trawy kawałek gałęzi i próbuje zamachnąć się na gąsienicę.

— Hej, przestań! — łapię go za ramię w ostatniej chwili.

— Uwaga! — nagle wykrzykuje Zgryz, a dookoła nas rozlega się narastający szum.

Płynie w naszym kierunku ze wszystkich stron, narasta niczym morska fala. Rozglądam się z przerażeniem, szukając drogi ucieczki, ale żadnej nie udaje mi się dostrzec. Jesteśmy otoczeni.

XV

Mechanizm obronny

Między pniami okrytymi szarą, łuskowatą korą wiszą w powietrzu ważkowate ptaki. Nie jeden ani nie dwa czy trzy. Jest ich co najmniej kilkanaście. Niektóre dorównują wielkością temu, którego już spotkałem wcześniej, inne są nieco mniejsze, ale widzę też kilka niemal dwukrotnie większych. Pchełka wyrywa ramię z mojego uchwytu, unosi gałąź nad głowę, wrzeszcząc przeraźliwie. I wtedy uderza w nas huragan słów. Zlewają się w chór najróżniejszych głosów — wysokich, niskich, męskich, kobiecych, dziecięcych...

— Nigdy! Nie zgadzam się! Muszę pozwolić mu odejść! Będę przy tobie! Kiedy będziesz starsza! Pięćset metrów prosto! Logika! Nadchodzi od strony gór! Proszę zmienić igłę! Bez zmian, ciągle bez zmian! Gdybym tylko mógł!

Głosy nasilają się, zlewają w jeden niezrozumiały potok. Unoszę dłonie do uszu i z całej siły zaciskam powieki.

— To mechanizm obronny! — drze się na całe gardło Zgryz. — Mechanizm obronny! One bronią tej gąsienicy! Rzuć kij, idioto!

— Gdyby! A co, jeśli się nie obudzi? Na święta! Co się ze mną dzieje?! Wystarczyłoby zmienić tylko jeden element! Nie jesteś moją matką! Zniknął! To na nic, na nic! Dziś tak pięknie świeci słońce! Szlaban! Oddałabym wszystko! Wszystko! Spróbuj, chociaż spróbuj! Powiedz, gdy będzie ci źle!

Głosy wwiercają się w moją czaszkę, rozsadzają ją. Przyciskam dłonie do uszu, ale i tak je słyszę — trochę bardziej odległe, przytłumione, ale nadal nieznośnie głośne... Otwieram łzawiące oczy i widzę, jak Monika jednym susem dopada piszczącego Pchełki, wyrywa mu gałąź z ręki, a potem ciska ją w bok. I nagle głosy milkną jak ucięte nożem. Cisza uderza we mnie tak samo jak głośny chór przed chwilą. Chwieję się na nogach i słyszę dzwonienie w uszach. Ptaki, leniwie poruszając skrzydłami, nadal wiszą w powietrzu wokół nas. Gąsienica obojętnie wraca do obgryzania liścia.

— Ogłuchłem! Jestem głuchy! Nic nie słyszę! — rozdziera się Pchełka.

— Nie ogłuchłeś — mówi Monika. — Po prostu przestały krzyczeć.

Jest blada jak ściana. Spogląda na ptaki, na gąsienicę, a potem siada po turecku w trawie, opierając głowę na dłoniach.

— To było straszne — mówi. — Mam wrażenie, jakby ktoś wyciągnął mi mózg przez uszy.

— Myślę, że gąsienica jest larwą. — Zgryz oddycha głośno. — Broniły jej.

— Larwą? — pytam ze zdziwieniem.

— Tak. Popatrz tylko na nie. To wcale nie są ptaki. Bardziej owady.

— Mają dzioby — stwierdza Monika, przyglądając się ważkom.

— Zresztą może są trochę ptakami, a trochę owadami. Nieważne. Myślę, że każdy z nich najpierw był gąsienicą. Jak u motyli, rozumiecie?

— Chyba tak. Ale dlaczego one wyciągają ludziom myśli z głów i wykrzykują je na głos?

Zgryz siada na trawie obok Moniki, uważnie obserwując ptaki, które jeden za drugim oddalają się od nas.

— Myślę, że to jest mechanizm obronny. Taki sam jak na przykład okrągłe plamy na skrzydłach motyli, które udają oczy i odstraszają ptaki. Wiecie, ptak widzi motyla, ten rozkłada skrzydła i nagle cały zamienia się w wielką głowę — przynajmniej tak myśli ptak. Więc ptak czuje strach i zostawia motyla w spokoju.

— Czyli chciały nas nastraszyć? — pytam.

— Tak. I bardzo dobrze im się to udało.

— To znaczy, że jednak znają ludzi! — stwierdza Monika. — Musiały spotykać ludzi mnóstwo razy, jeżeli wykształciły w sobie taką umiejętność.

— Może. — Zgryz w zamyśleniu unosi brwi. — A może nie. W końcu każde zwierzę ma mózg. Może potrafią odczytywać zakodowane w nim sygnały wzbudzające lęk. Na przykład gdyby tu był kot, zaczęłyby na niego szczekać.

— Cwane — z uznaniem w głosie mówi Monika.

— Całkowicie porąbane, chciałaś powiedzieć! Nie podoba mi się tu. Chce mi się pić i nogi mnie bolą. A to wszystko wasza wina! — stwierdza Pchełka.

— Powinniśmy iść dalej — mówię, spoglądając na słońce, które minęło już zenit.

— Jak daleko jeszcze do ścieżki? — pyta Zgryz.

— Nie wiem. — Wzruszam ramionami. — Nie pamiętam, jak długo szedłem pierwszy raz.

Zgryz rozgląda się wokół, opierając ręce na biodrach i przechylając głowę.

— Dziwne. Tu jest strasznie cicho i pusto, zauważyliście? — pyta wreszcie.

— Przed chwilą nie było — rzuca kwaśnym tonem Pchełka.

— Tak, ale teraz jest. Nie słychać żadnych owadów ani zwierząt. Trawa nie jest wydeptana. Ale skoro ptaki wykształciły w sobie taką niezwykłą umiejętność bronienia się przed wrogiem, to znaczy, że musi tu być dużo zwierząt, które mogą im zagrozić.

— Może śpią? — odzywam się. — Może wszystkie polują tylko w nocy?

— Może. Ale jakoś mi się nie wydaje. Tędy? — pyta Zgryz, oglądając się w moją stronę.

— Spróbujmy — kiwam głową i ruszam między drzewami, wypatrując ścieżki wijącej się w trawie.

— A co ci się wydaje w takim razie? — pyta Monika, wracając do tematu wcześniejszej rozmowy.

— Wydaje mi się, że te ptaki i gąsienice są jedynymi stworzeniami, które przeżyły w tym świecie. A przynajmniej w tej okolicy. Został tylko Krwawiec i one.

— Ale dlaczego? — pytam. — Ze względu na tę umiejętność czytania z myśli? Uważasz, że to ochroniło je przed Krwawcem? Nie bardzo mi się chce wierzyć...

— Nie, chyba to nie przez to. Nie mam pojęcia — wzrusza ramionami Zgryz.

— E! — woła nagle Pchełka. — Tego szukamy? Bo to tutaj wygląda jak wielgachny, skamieniały, płaski wąż leżący w trawie!

Podchodzę do niego i widzę, że znalazł ścieżkę.

— Mam już dosyć — marudzi Pchełka, gdy maszerujemy ścieżką. — Pić mi się chce. Jestem głodny.

— Już chyba niedaleko — wzdycham, starając się zapanować nad irytacją.

Naprawdę w życiu nie spotkałem jeszcze równie marudnego faceta!

— Chyba? Jak to, chyba niedaleko? — Pchełka zatrzymuje się przede mną tak nagle, że prawie na niego wpadam. — Nawet nie wiesz! Nie masz pojęcia, dokąd w ogóle nas prowadzisz!

— Wiem. Już blisko — mówię, zaciskając zęby.

— Umrę z głodu — jęczy Pchełka. — I z pragnienia. Dlaczego dałem się wciągnąć w to wszystko?

— Marek, przestań narzekać. — Monika poklepuje go po ramieniu.

Zgryz zerka ukradkiem między drzewa i mówi do mnie półgłosem:

— Lecą za nami cały czas.

— Ptaki? — pytam.

Kiwa głową potakująco.

— Myślisz, że chcą nas zaatakować? — szepczę, rozglądając się wokół.

— Nie mam pojęcia. Ale nie bardzo mi się to podoba. Chociaż nie wydają się agresywne.

— Ja też tak myślałem — mówię z goryczą. — Dopóki tamten mnie nie zaczął ścigać z wystawionym żądłem. Wolałbym, żebyśmy już wyszli na otwartą przestrzeń.

Las wydaje się pusty, ale kątem oka dostrzegam między drzewami jakiś ruch. Gdy spoglądam w tamtą stronę, udaje mi się dostrzec kawałek przezroczystego skrzydła wystający zza pnia.

— Może są po prostu ciekawe... — zastanawia się na głos Zgryz.

— Co jest ciekawe? — pyta Monika.

— Ptaki — wyjaśniam. — Śledzą nas.

— Nic nie widzę — Monika ze zmarszczonym czołem spogląda między drzewa.

— Bo się chowają. Ale nie masz wrażenia, że ktoś... — milknę na moment i ciągnę: — ...że ktoś jest cały czas niedaleko nas? Że się nam przygląda?

— Nie wiem. Może.

— Dalej nie da rady! — odzywa się głośno Pchełka. — Jakieś krzaczory rosną na ścieżce.

Podchodzę do niego i spoglądam na gęste zarośla uginające się pod ciężarem metalicznych owoców.

— Dotarliśmy — mówię, odwracając się w stronę Zgryza i Moniki. — Dolina jest za tymi krzewami.

— W takim razie musimy iść dalej — Monika wzrusza ramionami.

— Ale droga po drugiej stronie jest zupełnie odkryta — uprzedzam. — Krwawiec może nas bez trudu zauważyć.

— Tak czy siak przyszliśmy tu, żeby się z nim spotkać — stwierdza Monika.

— Tyle tylko, że lepiej byłoby się upewnić, czy nie zastawił na nas jakiejś pułapki — Zgryz przygląda się krzewom ze zmarszczonymi brwiami. — Przedtem mógł się nie spodziewać żadnych gości, ale teraz już wie, że ktoś może się pojawić.

— Myślicie, że te kulki nadają się do jedzenia? — Pchełka wpatruje się w srebrne owoce zwisające w gronach z gałęzi krzaków. — Wyglądają jak wielkie porzeczki...

— Marek, one na pewno nie nadają się do jedzenia! Niech ci nawet nie przyjdzie do głowy, żeby próbować! — gromi go Mona.

— Kiedy ja jestem taki strasznie głodny...

— Nie jadłeś śniadania? — pytam ze zdziwieniem.

— Drugiego nie jadłem.

— Rano zjedliśmy omlety z dżemem — wyjaśnia Monika. — Ale Marek zawsze je drugie śniadanie.

— No właśnie — kiwa głową Pchełka. — A dziś nie zjadłem. Czuję się taki słabiutki z głodu...

— Musisz wytrzymać — stwierdza Zgryz. — Ja też jestem głodny. Co robimy? Może przekradnijmy się przez te krzewy i zerknijmy, co jest za nimi?

Kiwam głową na zgodę i ruszam pierwszy. Zarośla wydają się gęstsze, niż były, kiedy przedzierałem się przez nie ostatnim razem. Ostatnim razem? Przecież było to zaledwie wczoraj! Poskręcane pędy owijają się wokół moich kostek, zaczepiają o ubranie. Monika i Zgryz są tuż za mną. Po kilku krokach gałęzie nieco się przerzedzają i przebija przez nie słońce.

— Poczekajcie — rzucam przez ramię, pochylam się i rozgarniam liście.

Przede mną otwiera się widok na dolinę. Krzywe, stare latarnie stojące przy drodze, trawiaste zbocze łagodnie opadające w dół i niewielkie domki z wysokimi dachami.

Wszystko wygląda tak samo jak wczoraj, okolica wydaje się opuszczona i pusta.

— No i co? — pyta Zgryz.

— Nic — odpowiadam. — Moim zdaniem nie ma żadnej pułapki. Pewnie nie przyszło mu do głowy, że mógłbym wrócić.

— No więc chodźmy! — Monika wysuwa się do przodu, ale Zgryz łapie ją za rękę.

— Poczekaj. Chyba będzie lepiej, jeśli pójdę pierwszy i sprawdzę teren.

— Dlaczego ty? — pytam. — Ja już tam byłem, wiem, jak wszystko wyglądało. Jeśli coś się zmieniło, najprędzej to zauważę. A poza tym Krwawiec już mnie zna. Nawet jeżeli mnie złapie, nie będzie wiedział, że jesteście ze mną.

— No, ale ty... Wiesz — Zgryz wygląda na nieco zmieszanego.

— Kuleję? No i co z tego! Kolano już mnie nie boli i mogę całkiem szybko chodzić. Na wszelki wypadek mnie obserwujcie. Dojdę do pierwszych domów. Jeżeli nic się nie stanie, dam wam znak i dołączycie. Dobra?

— Okej — Zgryz i Monika jednocześnie kiwają głowami.

Rozgarniam krzewy, wychodzę na dróżkę i ruszam w dół. Mam ochotę biec, ale zmuszam się do spokojnego kroku. Jeżeli Krwawiec mnie widzi, nie chcę, żeby pomyślał, że coś kombinuję. Mijam pierwszą latarnię, potem następną. Nic się nie dzieje. Na pewno stoi w tym swoim starym, zakurzonym sklepiku obok lady tak jak przedtem. Nagle wydaje mi się, że coś miga obok mnie, odwracam szybko głowę, ale niczego nie widzę. Zdawało mi się. Docieram do pierwszego domu, przystaję za rogiem i macham w stronę zarośli. Czekam. Pięć sekund, dziesięć, dwadzieścia. Ani Zgryz, ani Monika nie pojawiają się na dróżce. Macham znowu obiema rękami jak wiatrak. Nie widać ich. Coś się musiało stać... Co robić? Iść dalej samemu? Wrócić do nich? Wyglądam za róg domku i spoglądam na uliczkę. Do domu Krwawca jest jakieś dwieście metrów, widzę stromy dach nad pracownią. Wszystko wygląda identycznie jak wczoraj. Oglądam się w stronę zarośli. A jeśli potrzebują mojej pomocy? Stoję przez chwilę niezdecydowany. Znowu patrzę w perspektywę uliczki i dostrzegam, że coś jednak się w niej zmieniło. Powietrze w oddali jest nieco zamglone. Zupełnie jakby wzbił się tuman kurzu... Nagle z oddali, od strony zarośli dobiega mnie słaby okrzyk. Monika! Nie powinniśmy byli się rozdzielać! Najszybciej, jak umiem, ruszam z powrotem w górę. Kiedy jestem jakieś pięćdziesiąt metrów od lasu, tuż za mną rozlega się łoskot. Podskakuję z przerażenia, chowam głowę w ramionach i oglądam się przez ramię. Na drogę upadła jedna z latarni, nic takiego. Wypuszczam powietrze z ulgą. I wtedy widzę tę delikatną mgłę, która pojawiła się w uliczce. To wcale nie jest mgła, tylko fala delikatnych, srebrnych nici. Babie lato Krwawca. Są ich tysiące, płyną w moim kierunku przez ciepłe, suche powietrze. Pochwycą mnie za kilka sekund! Ruszam w górę najszybciej, jak mogę. Biegnę jak pijany, wyrzucam przed siebie sztywną lewą nogę, odpycham się prawą. Z boku to musi wyglądać żałośnie i śmiesznie, ale wszystko mi jedno. Brakuje mi tchu, jestem cały mokry. Niemal dotykam już zarośli, gdy powietrze wokół mnie zaczyna się mienić jeszcze mocniej, a na kark spada mi delikatna pajęczyna nitek. Strzepuję je gwałtownym ruchem i wpadam między zarośla. Może gałęzie je opóźnią?

Przedzieram się przez krzaki, pędy smagają mnie po twarzy. Po kilku sekundach jestem już między pniami, ale wciąż czuję łaskoczący dotyk pajęczych nitek. Wzrok przesłania mi mgła, potrząsam głową i widzę Zgryza, który razem z Moniką klęczy przy leżącym obok ścieżki Pchełce. Jego policzki i usta pokrywają srebrne plamy, zupełnie jakby wymazał się rtęcią.

— Mamy kłopoty — udaje mi się wydyszeć. — Są wszędzie, zaraz tu...

Ale zanim udaje mi się skończyć, spomiędzy pni drzew wypada kilkanaście ważkowatych ptaków. Pędzą w moją stronę jak pociski, wszystkie niemal jednocześnie otwierają dzioby i wysuwają ostre, zakręcone ssawki z igłami. Rzucam się w tył, krzycząc, i zasłaniam ramieniem twarz. Widzę jeszcze przerażoną minę Moniki i Zgryza, który pada na ziemię obok Pchełki, a potem wszystko przesłaniają mi szumiące, przezroczyste skrzydła i ta dziwna, lepka mgła.

XVI

Glomy, arynie i skutki „Projektu Welon"

ukasz! – ktoś potrząsa mnie za ramię.

Kto to jest? Znam ten głos...

– Żyje? – pyta ktoś inny. – Nic mu nie zrobiły?

Otwieram oczy i spoglądam w górę. Wysoko nade mną kołyszą się korony drzew. Ich gałęzie poskręcane są jak sprężyny. Idealnie okrągłe, srebrnoturkusowe liście obracają się na wietrze. Niebo, widoczne między konarami, ma fiołkowy kolor. Ptaki! Rzuciły się na mnie!

Siadam natychmiast jak porażony prądem. Tuż przy mnie klęczy Zgryz, a obok niego zapłakana Monika.

– Stary, nic ci nie jest? – dopytuje się Zgryz.

– Nie wiem – mówię, oglądając uważnie swoje ręce i brzuch. – Chyba nie. Nic mi nie zrobiły?

– Tobie nic – Zgryz uśmiecha się lekko. – To nie o ciebie chodziło.

– Nie o mnie? – pytam ze zdumieniem. – A o kogo?

— Nie o kogo, ale o co — prostuje Zgryz. — O nici.
— Co? — pytam, pocierając czoło. — Jak to o nici?
— Normalnie — wyjaśnia Monika. — Rzuciły się na nici. Prawie się o nie pobiły między sobą.
— Ale po co? Co z nimi zrobiły?
— Na moje oko — stwierdza Zgryz — to zjadły.
— Zjadły?
— Tak. Wciągały je do swoich srebrnych trąbek. Błyskawicznie. Wyglądało to tak, jakby każdy zmienił się w maszynę do szycia — tylko migały igły wystające im z dziobów.
— Nawet mnie nie drasnęły — mamroczę, jeszcze raz oglądając swoje dłonie.
Monika odchodzi w stronę Pchełki leżącego parę metrów dalej na trawie.
— Co z nim? — pytam.
— Nażarł się tych srebrnych kulek — wzdycha Zgryz. — Nie wiem, co się z nim dzieje. Stracił przytomność.
— O, matko... — wzdycham i podchodzę na czworaka do Pchełki.
Chłopak leży na plecach, ma bladą twarz. Mona ściera rękawem bluzy srebrne ślady po soku z jego policzków — usta ma wygięte w podkówkę.
— Oddycha? — spoglądam na nią pytająco.
Kiwa głową i wyciera nos rękawem drugiej ręki.
— Czasami tak strasznie działa mi na nerwy — mówi w końcu. — Ale on wcale nie jest taki zły.
— Wiem — poklepuję ją po kolanie.
— To mój brat. Kocham go — pochlipuje Monika. — Czasami głupio się zachowuje, bo wszyscy się z niego nabijają, wiesz, że jest gruby. A on wcale nie chce być gruby, nikt by nie chciał. Tyle tylko, że nie potrafi przestać

jeść. A im bardziej wszyscy się z niego naśmiewają, tym więcej je i tym bardziej staje się nieznośny. Nie wiem, co zrobię, jeśli coś mu się stanie...

— Nic się nie stanie — mówię bez przekonania. — Po prostu się zatruł, ale na pewno wszystko będzie dobrze.

Nagle Pchełka pojękuje głośno. Jego ciało wygina się w łuk, unosi nieco, a po chwili opada na trawę i nieruchomieje. Monika krzyczy krótko, przyciskając dłoń do ust. Szybko dotykam czoła Pchełki — jest wilgotne i lodowate.

— Czy on... — zaczyna Monika zrozpaczonym głosem, ale w tym momencie Pchełka otwiera oczy i wpatruje się przez chwilę w drzewa nad nami.

— Za dużo zjadłem, a to wcale nie są porzeczki — odzywa się po krótkiej chwili zupełnie wyraźnym głosem. — To są książki.

— Informacje? — wykrzykuje Zgryz, wyrzucając ręce nad głowę. — Ale co ty gadasz?! Jak to informacje? Jak można zapisać informacje w owocach?!

Siedzimy pod drzewem obok ścieżki. Pchełka maślanym wzrokiem wpatruje się w przestrzeń, Monika trzyma go za rękę, uśmiechając się szeroko. Zgryz stoi obok nas i jest tak przejęty, że aż prawie wychodzi ze skóry, a ja sprawdzam godzinę na komórce. Minęła szesnasta, jesteśmy tu już ponad cztery godziny.

— Nie wiem — mamrocze Pchełka. — Cały czas pojawiają się w mojej głowie kolejne porcje.

— Jakie porcje? — pyta Zgryz. — Czego?

— Informacji. W miarę trawienia porzeczek w mojej głowie pojawiają się następne wiadomości — wyjaśnia Pchełka, otwiera szeroko oczy i zachwyconym tonem mówi: — Oooo!

— Co „ooo"? — Zgryz kuca obok niego.

— Już wiem — odpowiada Pchełka, uśmiechając się głupio.

— Co wiesz?! — Zgryz szarpie się za włosy. — Gadaj!

— Ale od czego zacząć? — sennie wzdycha Pchełka.

— Muszę zjeść trochę tych kulek! — decyduje Zgryz. — Natychmiast.

— To by nie było rozsądne — powoli mówi Pchełka. — Jesteś za chudy.

— Co? Jak to za chudy?

— Normalnie. Zawsze wiedziałem, że wcale nie jest źle być grubym — wyjaśnia, otwiera znowu szeroko oczy i dodaje: — Aaaaa!

— Co „aaa"? Dlaczego jestem za chudy? — wykrzykuje Zgryz. — Ja muszę wiedzieć!

— Przetwarzanie informacji zawartych w... One się nazywają glomerameny, to znaczy naukowcy je tak nazwali. W skrócie mówiło się glomy.

— Glomy? Dobra, niech będą glomy — popędza Pchełkę Zgryz. — I co dalej?

— No więc, kiedy organizm przyswaja wiadomości z glomów, zużywa strasznie dużo kalorii. To zupełnie oczywiste. Kiedy wpychasz w siebie jedzenie, stajesz się grubszy, a kiedy się uczysz, chudniesz.

— To wcale nie jest oczywiste! — wykrzykuje Zgryz. — To kompletna bzdura. Gdyby tak było, żaden naukowiec nie byłby gruby. A są!

— Tak? No, może rzeczywiście nie o to chodzi tak do końca. W każdym razie przetwarzanie owoców na informacje pochłania strasznie dużo energii z organizmu. Zawsze to wiedziałem, dlatego nie lubię szkoły — mamrocze Pchełka. — Jesteś za chudy, mogłoby cię to zabić.

— Uważam, że zmyślasz — kręci głową Zgryz z naburmuszoną miną. — Kłamiesz, bo nie chcesz, żebym ja też się czegoś dowiedział! Chcesz być najważniejszy.

— To prawda... — wzdycha Pchełka, wpatrując się w drzewa niewidzącymi oczami — ...że lubię być ważny. Każdy lubi. Ale nie kłamię. Zobacz.

Podnosi swoją bluzę i wtyka kciuk za pasek spodni. Odciąga go lekko — spodnie są na niego dużo za szerokie.

— Och, Marek — woła Monika. — Ty schudłeś!

— I ciągle jeszcze chudnę. Bo się dowiaduję... Ach!

— Co „ach"? — pyta Zgryz zrozpaczonym głosem. — Czego się dowiadujesz?

— Te ptaki to wcale nie są ptaki — Pchełka spogląda na nas przytomniej. — One się nazywają arynie.

— Arynie? — pytam, spoglądając na ważkowatego ptaka, który unosi się w powietrzu kilka metrów od nas.

— Tak.

— Ale przecież latają... — mówi sceptycznie Monika. — I mają skrzydła. Co to jest? Owady?

— To mieszanka — wyjaśnia Pchełka. — Częściowo są ptakami, najwięcej mają z papugi. Ale też sporo z owadów, głównie ważek. I jeszcze...

Marszczy czoło przez moment w zamyśleniu, rozjaśnia się i ciągnie:

— I z chomika! One zostały wyprodukowane przez genetyków!

— Inżynieria genetyczna? — pyta Zgryz z osłupiałym wyrazem twarzy. — Tutaj?

— Tak! Ich zadaniem było przenoszenie wiadomości! To taki jakby telefon.

— Telefon? — dziwię się. — Ale dlaczego taki? Przecież łatwiej byłoby posługiwać się komórką.

— Kiedyś tu były komórki... Ale słońce... — Pchełka znowu marszczy czoło na moment: — Tak! Słońce się zmieniło, zaczęło zakłócać działanie urządzeń elektronicznych! To ma coś wspólnego z jego ewolucją. Naukowcy zaczęli szukać innych rozwiązań i postawili na genetykę. To było jakieś...

Pchełka nieruchomieje na długą chwilę i spogląda na nas z oniemiałym wyrazem twarzy.

— No co?! — nie wytrzymuje Zgryz. — Co było?

— To było prawie trzy miliardy lat temu. A my wcale nie jesteśmy w jakimś innym wymiarze. Tu kiedyś było morze, ale kontynenty się przemieściły, woda wyparowała, a klimat całkowicie się zmienił. My ciągle jesteśmy w Brzegu! W Polsce! Tyle tylko, że w przyszłości — mówi ze zdumieniem w głosie Pchełka.

Pół godziny później Pchełka zaczyna zachowywać się bardziej normalnie. Twierdzi, że prawie całkowicie strawił porzeczki czy też glomy, jak je określa. Nadal jest gruby, ale znacznie mniej. Zgryz wypytuje go z wypiekami na twarzy i błyszczącymi oczami.

— Powiedz wszystko jeszcze raz — nalega, siląc się na spokojny ton głosu. — Ale po kolei.

— Nie wiem po kolei — zarozumiałym tonem mówi Pchełka. — To nie działa w ten sposób. Poczekaj, spróbuję wszystko poukładać, bo z tego, co rozumiem, glomy nie funkcjonują już tak dobrze jak kiedyś. Zdziczały. Krzew, z którego zerwałem owoce, dawniej był czymś w rodzaju encyklopedii historycznej.

— Dobrze, zjadłeś encyklopedię, nich ci będzie. W takim razie powiedz, czego się dowiedziałeś?

— Słońce się zmieniło. Były dziury ozonowe i na ziemię przenikało promieniowanie, które popsuło całą elektronikę. Przez jakiś czas wszystko było w rozsypce. Kraje się rozpadły, nie było techniki.

— Regres cywilizacyjny — szepcze Zgryz.

— Cokolwiek — Pchełka wzrusza ramionami. — W każdym razie wymarły prawie wszystkie rośliny, owady i zwierzęta. Ziemia była zupełnie łysa. Ale przetrwało kilka podziemnych ośrodków badawczych, a w nich zwierzęta laboratoryjne. Naukowcy zaczęli eksperymentować z genetyką, żeby odtworzyć świat i przywrócić cywilizację. Wyhodowali organizmy, które wyglądają jak rośliny — trawa, drzewa, krzewy i tak dalej. Ale one tylko w części są roślinami, większa część ich DNA pochodzi od zwierząt. Ziemię znowu pokryły lasy, a przynajmniej coś, co wygląda jak one. To było bardzo ważne, bo rośliny przetwarzają dwutlenek węgla w tlen, dzięki nim można oddychać. Te niby-rośliny robią to samo. A różne inne modyfikowane genetycznie organizmy zaczęły pełnić funkcję komputerów, telefonów i innych technicznych czy elektronicznych urządzeń.

— Wiedziałem! — wykrzykuję, bo wszystko, o czym mówi Pchełka, jest przecież logiczne, sam powinienem wpaść na to już dawno! — I co dalej?

— Nic. Bardzo dobrze im szło i świat został naprawiony.

— No, chyba nie do końca — mówię sceptycznie, rozglądając się po lesie.

— Przez setki, setki lat wszystko było okej i wszyscy byli szczęśliwi. Aż pojawiły się nici.

— Z kosmosu! — wykrzykuje Zgryz. — To inwazja obcych! Mam rację?

— Nie, no co ty? — Pchełka pogardliwie wydyma usta. — To nie jest jakiś głupi film science-fiction.

— Nie? — z komicznym zdumieniem na twarzy pyta Monika. — A dałabym sobie głowę uciąć...

— Nici zostały wynalezione przez genetyków. To się nazywało „Projekt Welon".

— Ale po co? — pyta Zgryz.

— Nie do końca rozumiem, ale chyba miały za zadanie naprawiać i wiązać komórki w ludzkich organizmach, żeby ludzie nie chorowali i się nie starzeli. Te, które zrobili najpierw, były tak maleńkie, że wcale nie było ich widać.

— Dlatego kolano przestało mnie boleć, gdy Krwawiec oplątał je nitkami! — wykrzykuję.

Zgryz kiwa głową potakująco i zwraca się do Pchełki:

— No i co było dalej?

— Coś poszło nie tak. Okazało się, że nici nie spełniają swojego zadania, to znaczy spełniały, ale nie tak, jak chcieli naukowcy. Ludzie przestali się rozwijać.

— Jak to rozwijać? Rosnąć? — pyta Zgryz.

— Nie. Nici zaczęły krępować ich umysły. Przejęły kontrolę i usamodzielniły się, chociaż nie są inteligentne. Nie bardziej w każdym razie niż mrówki. Informacje, które dotyczą późniejszych lat, są strasznie pokręcone. „Myśli się szamoczą" na przykład — co to ma niby znaczyć?

Ogólnie wynika z tego wszystkiego, że ludzie zwariowali. Prawie wszyscy, ale trwało to długo. Zanim oszaleli do reszty, przez wiele lat wydawało im się, że żyją jak dawniej, tylko wszystko im się plątało. Grupa genetyków zamknęła się w schronach genetycznych gdzieś w środkowej Europie i próbowała znaleźć lekarstwo. Pozmieniali coś w aryniach, które miały wytępić welon. Wybrali arynie, bo były wszędzie, na całym świecie. Udało się im, ale było zbyt późno. Wszyscy ludzie i nieliczne prawdziwe zwierzęta wymarli. Niedobitki ptaków i owadów, które przetrwały wcześniejszą katastrofę, spotkał taki sam los. Pozostały tylko arynie, które w końcu oczyściły ziemię z nici. No i oczywiście te pseudolasy, takie jak ten, w którym jesteśmy.

— Ale skąd wziął się Krwawiec? — pytam. — I nici w miasteczku?

— Nie wiem nic o Krwawcu, ale z tego, co mówisz wynika, że jest to po prostu jakiś facet w początkowym stadium welonu. Nie mam pojęcia, jak się tu znalazł. Może był zahibernowany w jakimś laboratorium i coś go niedawno obudziło? Nie mam pojęcia. Natomiast nici w miasteczku przetrwały, bo jest otoczone przez glomy. Arynie nie mogą się do nich zbliżać.

— Dlaczego?

— Dlatego, że glomy przechowywały informacje, które niekiedy były tajne. Takie krzewy przedtem rosły w specjalnych parkach naukowych, do których chodzili ludzie, kiedy chcieli czegoś się nauczyć. Arynie nie mogły zbliżać się do glomów, bo przenosiły wiadomości — gdyby poznały coś tajnego, przekazałyby to dalej na cały świat. Naukowcy wbudowali więc im takie zabezpieczenie, żeby nie mogły podlecieć do glonów bliżej niż na kilka metrów. Wydaje mi się, że po prostu się boją.

— A dlaczego nie przefruną górą nad krzewami? — pyta Mona. — Przecież mają skrzydła.

— Bo nie latają wysoko. Tylko tuż nad ziemią, żeby mogły szukać jedzenia.

— Coś mi tu nie pasuje — stwierdza Zgryz. — Jeżeli te całe arynie miały przenosić wiadomości, musiały latać daleko i wysoko!

— Wcale nie musiały — wyjaśnia z zadowoleniem Pchełka. — One w ogóle nie potrzebują się przemieszczać. Jeżeli jedna arynia coś wie, wiedzą wszystkie, bo ich umysły są połączone. To ma coś wspólnego z przekształceniem ptasiego instynktu migracyjnego i telepatią. Dlatego też odczytują nasze myśli. Już wcześniej tak robiły — w ten sposób rozpoznawały adresata wiadomości, bo każdy człowiek ma różne fale mózgowe czy coś takiego. Tyle tylko, że nie wykorzystywały tej umiejętności do obrony. Jednak minęło wiele milionów lat i ewoluowały. Jestem najmądrzejszy na świecie!

— Super. Co więc powinniśmy zrobić? — pyta rzeczowo Monika. — Bo jest już późno.

Zgryz namyśla się przez chwilę, nagle pstryka palcami i uśmiecha się szeroko.

— To przecież bardzo proste! Mona, masz nadal tę powłoczkę z kołdry Łukasza?

— Gdzieś tu leży. Rzuciłam ją na trawę, gdy doszliśmy do krzaków — dziewczyna odchodzi na bok, a po kilku sekundach unosi zwinięty w kłębek materiał. — Jest!

— Bardzo dobrze — kiwa głową Zgryz. — A teraz przydałoby się coś, czym moglibyśmy sobie zatkać uszy.

— Ale co? — pytam. — Może liście?

— Nie, to na nic — kręci głową Zgryz. — Plastelina byłaby dobra.

— A guma do żucia? — pyta Monika.

— Mogłaby się nadać.

— Bo ja mam prawie całą paczkę — dziewczyna sięga do kieszeni.

— No wiesz! — wykrzykuje Pchełka z urazą. — Cały czas miałaś przy sobie gumę, a ja byłem taki głodny!

— Guma nie jest do jedzenia, tylko do żucia — Monika spogląda na niego z politowaniem.

— Pokaż — Zgryz bierze od niej paczkę i wytrząsa na dłoń paski w pergaminowych papierkach. — Siedem. Trochę mało, no nic, każdy dostanie niecałe dwa.

Rozdaje nam gumy i rozwija swoje z papierków.

— I co? — pytam, patrząc na niego ze zdziwieniem

— I nic. Żujemy — odpowiada, wkłada sobie gumę do ust i zaczyna ruszać szczęką.

Idziemy za jego przykładem. Uświadamiam sobie, że to musi strasznie śmiesznie wyglądać z boku — czwórka dzieciaków stoi w dziwnym lesie kilka miliardów lat w przyszłości i z przejęciem żuje gumę, szykując się do walki z genetyczną zarazą.

— Dobra, wystarczy — mówi Zgryz, przekładając gumę językiem pod policzek. — A teraz uważajcie. Nie wiem, ile one rozumieją z tego, co mówimy i myślimy. Ale musimy jedną złapać.

— Arynię? — pyta Monika.

— Tak. Zabierzemy ją do „Wysokiego Klifu".

— Jasne! — wykrzykuję. — Zje wszystkie nici i ciotka będzie zdrowa! Jesteś genialny!

— No, bez przesady — skromnie uśmiecha się Zgryz.

— To ja jestem genialny — prostuje Pchełka. — Najadłem się glomów i wiem wszystko.

— O, mamo! — Monika przewraca oczami. — Teraz dopiero będziesz nieznośny...

— Musimy być ostrożni — poucza nas Zgryz. — Na pewno będzie się broniła i pewnie inne też staną w jej obronie, jeżeli jest tak, jak mówi Pchełka, i porozumiewają się telepatycznie. Będą broniły tej, którą złapiemy, tak samo, jak wcześniej broniły gąsienicy. Na pewno będą próbowały wyciągnąć nam z głów różne myśli, żeby nas przestraszyć, ale z tym sobie poradzimy, bo nie będziemy ich słyszeli. Pytanie tylko, czy poprzestaną na krzyczeniu, czy może ruszą na nas z żądłami.

— Arynie nie mogą skrzywdzić człowieka — zarozumiałym tonem oświadcza Pchełka. — Tak zostały zaprojektowane.

— Na pewno tak było kiedyś. Tyle tylko, że od tego czasu minęło wiele milionów lat i — jak sam powiedziałeś — ewoluowały.

Pchełce rzednie mina i zerka na jedną z arynii unoszącą się nad trawą niedaleko nas.

— Dowiemy się, gdy spróbujemy — rzeczowo stwierdza Monika. — I lepiej się pospieszmy, bo obiad dziś jest o piątej. Mama się wścieknie, jeżeli nie będziemy na czas w domu.

— My już jesteśmy solidnie spóźnieni. Ten obiad był cztery miliardy lat temu, moja mała — mówi Pchełka.

— Nie wiem, czy mama przyjmie takie usprawiedliwienie — wzdycha Mona, wyjmuje z ust kulkę gumy do żucia, dzieli ją na dwa kawałki i wpycha je sobie do uszu, a potem drze się na całe gardło: – NO, POWIEDZCIE COŚ, BO NIE WIEM, CZY SŁYSZĘ, CZY NIE!!!

– My cię słyszymy dobrze! – krzywiąc się, mówi głośno Zgryz. – Nie drzyj się!

– CO?!!

– NIC!!! – odkrzykuje Zgryz i wpycha sobie gumę do uszu.

– NIC NIE SŁYSZĘ!!! – krzyczy Monika, uśmiecha się i pokazuje wyprostowany kciuk.

Uśmiecham się do niej, wyjmuję swój kawałek gumy i zatykam sobie uszy. Pchełka idzie w nasze ślady. Zgryz pokazuje nam na migi arynię, która lata nieopodal, kładzie palec na ustach i trzymając w rękach rozpostartą powłoczkę z mojej kołdry, rusza w stronę stworzenia. Arynia przygląda nam się obojętnie, trzymając w łapkach srebrzysty kłos trawy, z którego od czasu do czasu wyłuskuje dziobem ziarenka. Gdy Zgryz jest metr od niej, obraca się powoli w powietrzu, frontem do niego, a ze wszystkich stron zmierzają do nas dziesiątki, setki innych ważko-ptaków. Guma spisuje się jednak znakomicie – nie słyszę nic poza łomotem własnego serca i szumem krwi w uszach. Zgryz szybkim ruchem nakrywa arynię poszewką. Stworzenie szarpie się w niej przez chwilę i wreszcie nieruchomieje, a my czekamy, przyglądając się pozostałym. Rzucą się na nas czy nie? Arynie otaczają nas ciasnym kołem, ale nie podlatują bliżej. Na pewno krzyczą, jednak tego nie możemy usłyszeć. Zgryz odwraca się do mnie i uśmiecha, kiwając głową, a ja odpowiadam uśmiechem, powtarzając gest Moniki. Okej! Na migi pokazuję mu ścieżkę. Wchodzimy na nią i najszybciej jak możemy, ruszamy do domu. Arynie towarzyszą nam cały czas. Jest ich tak dużo, że czuję na twarzy podmuchy wiatru wywołanego przez skrzydła stworzeń. Niecałe pół godziny później docieramy na polankę. Prostokąt prowadzący do mojego pokoju w odległej przeszłości nadal stoi na trawie. Arynie wypełniają całą polanę, unoszą się w powietrzu dookoła naszych kolan. Zgryz przystaje obok przejścia i spogląda na nas pytająco. Kiwam głową. Przekracza próg pokoju, za nim idzie Monika, potem Pchełka. Ja na końcu. Ostatni raz spoglądam na fiołkowe niebo, poskręcane, sprężynowe drzewa i setki arynii wokół mnie, a potem wchodzę w prostokąt prowadzący do przeszłości i zamykam za sobą niebieskie drzwi. Jesteśmy w domu.

XVII

Znowu w „Wysokim Klifie”

– Dobra, do roboty – mówi Monika, gdy udaje jej się wydłubać z uszu gumę do żucia. – Bo jest już za siedem piąta.

– O, mamo – Zgryz przewraca oczami. – My tu naprawdę mamy ważniejsze sprawy niż jakiś durny obiad!

– Durny? – z urazą w głosie pyta Pchełka. – To ty chyba nie jadłeś obiadów naszej mamy!

– Wypuść ją – mówię, wskazując splątaną poszewkę. – Musimy sprawdzić, czy nic jej się nie stało.

– Arynie są niezwykle odporne – przemądrzałym tonem oświadcza Pchełka.

Zgryz rozplątuje tłumoczek, odgarnia fałdy tkaniny i cofa się o krok. Arynia siedzi w zwojach tkaniny i patrzy na nas smutnym, pełnym wyrzutu wzrokiem.

– Nie przejmuj się – mówi do niej Mona. – Załatwisz tu tylko jedną sprawę, a potem cię odeślemy.

— Jesteś głupia — mówi arynia głosem Pchełki.

— Ale piszczy — chichocze Pchełka. — Jak gumowa kaczka do wanny.

Monika uśmiecha się pod nosem, ale najwidoczniej postanawia go nie uświadamiać, do kogo tak naprawdę należy ten piskliwy głosik.

— Odeślemy? — pytam.

— No, oczywiście! — potwierdza Zgryz, kiwając energicznie głową. — Ona nie może zostać w naszym czasie, byłyby z tego same kłopoty! Co ty, „Terminatora" nie oglądałeś czy jak?

— Mamy pięć minut! — oznajmia Mona, spoglądając na zegarek.

— Okej, więc do roboty — wzdycham, naciskam klamkę i otwieram drzwi.

A wtedy mnóstwo rzeczy zaczyna dziać się jednocześnie. W korytarzu za drzwiami stoi ciotka Agata. Jej długie niemal białe włosy unoszą się dookoła głowy niczym ogromna, wijąca się aureola. Srebrzyste pasma błyskawicznie wyciągają się w moją stronę, zupełnie jakby za plecami ciotki włączono nagle potężny wentylator.

— Nareszszszcie... — szepcze ciotka, uśmiechając się przerażająco, a ja odruchowo rzucam się do tyłu i ląduję na podłodze przed łóżkiem.

Ciotka wsuwa się do mojego pokoju, nie poruszając nawet nogami, zupełnie jakby jechała na rolkach, a Zgryz, Monika i Pchełka wrzeszczą. Ja nie potrafię wydobyć z siebie głosu, gardło zaciska mi się jak pięść. Wpatruję się w ciotkę wytrzeszczonymi oczami, próbując odsunąć się od niej, ale łóżko mnie blokuje. I wtedy w pokoju rozlega się wyraźny głos mojej mamy:

— Pamiętaj, jak ci będzie źle, to mi powiedz.

Spoglądam za siebie i widzę, że arynia powoli wzbija się w powietrze. Ciotka zatrzymuje się natychmiast. Uśmiech znika z jej twarzy jak zdmuchnięty. Jej włosy nieruchomieją na ułamek sekundy, zamieniając się w srebrzyste, ostre sople, a potem... Jeśli przed chwilą mogło się wydawać, że za ciotką ktoś włączył potężny wentylator, to teraz ten wentylator zmienił ciąg — jej włosy uciekają w tył. Przez moment ciocia Agata wygląda zupełnie jak osoba jadąca niezwykle szybko skuterem, a po sekundzie, gdy arynia bardzo spokojnie przelatuje nade mną i zbliża się do niej, kosmyki włosów ciotki, przy wtórze wysokiego, rozdzierającego pisku, odrywają się od jej czaszki, srebrną falą wypływają na korytarz i niczym porwane wiatrem znikają za framugą drzwi. Arynia niespiesznie wylatuje za nimi, wysuwając stalowe żądło. Ciotka stoi na środku pokoju zupełnie łysa, wpatruje się w nas wytrzeszczonymi oczami, a potem krzyczy krótko, łapie się za głowę i wybiega z pokoju.

Milczymy przez długą chwilę. Zgryz odchrząkuje w końcu i mówi:

— No, to było niezłe...

— Ale miała minę... — mamrocze Mona pod nosem. — Nigdy w życiu tego nie zapomnę. Nigdy.

Pchełka chichocze krótko, milknie, przygląda się nam, a potem zaczyna śmiać się znowu — tak głośno, że aż mu brzuch podskakuje. Przewraca się na moje zapadnięte łóżko i turla się po nim w tę i z powrotem, zanosząc się od śmiechu.

— No wiesz? — mówi zgorszonym tonem Monika, a potem i ona zaczyna chichotać.

Śmiech Pchełki jest tak zaraźliwy, że i ja zaczynam się śmiać. Zaśmiewamy się do łez, już nie pamiętam, kiedy śmiałem się tak mocno. Prawie nam przechodzi, a wtedy Zgryz staje przed drzwiami i pokrzykuje:

— Łu!!! — a potem łapie się za głowę, naśladując ciotkę, i piszczy: — Aaaaa!!!

Oczywiście znowu zaczynamy się tak śmiać, że mało nie popękamy. Z oczu ciekną mi łzy, policzki mnie bolą, ale nie mogę przestać.

— Zaraz się posikam! — ostrzega Pchełka wysokim dyszkantem między jedną salwą śmiechu a drugą.

— W takim razie... — wyjąkuję, ocierając załzawione oczy — ...w takim razie zejdź... z... z łóżka!

To oczywiście znowu nas rozśmiesza. Nagle Monika spogląda na swój zegarek i poważnieje w mgnieniu oka:

— Marek, jest już dziesięć po! Mama nas zabije!

— Obiad! — wykrzykuje Pchełka i zaczyna gramolić się z łóżka na podłogę. — To strasznie dziwne, ale właściwie nie jestem już głodny!

— Ja też powinienem iść — mówi Zgryz. — Ale nie wiem, czy...

— Poradzę sobie — zapewniam go.

Wychodzimy na korytarz. Nad naszymi głowami rozlega się głośny tupot nóg i cichy okrzyk.

— Będzie dobrze. Chyba... — mówię, starając się nadać swojemu głosowi pewne siebie brzmienie.

— O, na pewno będzie — zapewnia mnie Pchełka. — One zostały przystosowane do tego, żeby oczyszczać nie tylko domy i lasy z nici, ale też i ludzi. Niestety, zanim zakończył się proces ich produkcji, nie było już żadnych ludzi do oczyszczenia. Mówię o aryniach.

— Wiem — kiwam głową.

Schodzimy do holu, mijamy ladę z ciemnego drewna i podchodzimy do drzwi.

— No, to na razie — mówi Monika.

Ciotka ciężkim krokiem zbiega z drugiego piętra na pierwsze i krzycząc, skręca w korytarz. Po chwili zawraca i biegnie w jego drugą stronę. Arynia niespiesznie leci za nią.

— Ale jaja — stwierdza Pchełka.

— Wpadniemy jutro, żeby odstawić arynię do jej czasów — mówi Zgryz. — Koło jedenastej będzie okej?

— Pewnie, że będzie. — Wzruszam ramionami i uśmiecham się do niego.

Otwieram drzwi na ganek, a Monika, Pchełka i Zgryz wychodzą na dwór.

— Tylko pilnuj dobrze tego stworka — Zgryz odwraca się do mnie. — Nie może wydostać się z „Wysokiego Klifu". To by była katastrofa.

— Nie ma obawy. Wszystkie okna i drzwi wyjściowe są pozamykane.

— Patrzcie, wypogodziło się — mówi Monika.

Rzeczywiście. Ciężkie, ołowiane chmury odsunęły się na bok. Nad horyzontem świeci jasno kula słońca, a jej blask odbija się i mieni w srebrzystych falach morza daleko przed nami.

— No, to do jutra — Zgryz unosi dwa palce do czoła, jakby salutował.

— Do jutra — mówię, a po chwili dodaję: — Dzięki.

— Nie ma sprawy — Zgryz wzrusza ramionami i zeskakuje ze schodków prowadzących na parking.

Monika i Pchełka idą za nim. Przymykam drzwi i obserwuję całą trójkę przez szparę między skrzydłem a framugą.

Przy krzakach obok wyjazdu na ulicę Monika odwraca się do mnie i macha ręką. Pchełka też spogląda w moją stronę, robi groźną minę i woła:

— A tylko mi się tu pokaż na ulicy!

Puszcza oko i skręca w stronę kiosku. Zamykam drzwi. Ciotka zbiega na parter, mija mnie i wpada do jadalni. Arynia leci za nią. Mam nadzieję, że nie będzie to trwało całą noc. Wchodzę do jadalni za nimi. Korytarz prowadzący do kuchni stoi otworem. Dobiega z niego krótki okrzyk przestrachu, a potem zapada cisza. Zaglądam do kuchni. Ciotka Agata, zasłaniając sobie twarz, stoi w kącie obok starego kredensu. Arynia unosi się tuż nad nią. Stalowe żądło błyskawicznie opuszcza się i podnosi nad łysą czaszką ciotki, wnika do środka, jednak nie pozostawia żadnych skaleczeń. Nagle zagłębia się mocniej, skrzydła arynii pobrzękują głośniej i ze skroni ciotki stworzenie wyciąga jasną, wijącą się nić. Ciotka Agata wzdycha i zamka oczy, a ja mam dziwną pewność, że to właśnie tę nić podarował mi na pamiątkę Krwawiec. Nitka znika wessana do trąbki stworzenia. Arynia zawraca i niespiesznie wylatuje z kuchni, zmierzając do innych części domu, gdzie zapewne ukryły się pozostałe włókienka. Ciocia chwieje się na nogach, podbiegam do niej i biorę ją za łokieć.

— Już wszystko w porzo — mówię, wyprowadzam ją z kuchni do jadalni i sadzam na fotelu przy kominku.

Ciotka nie otwiera oczu i cała się trzęsie. Z zimna? Może — w domu jest naprawdę chłodno. Pewnie powinienem włączyć piec gazowy, tylko że nie umiem tego robić. Ale przecież jest tu coś lepszego od pieca. Idę do kuchni po zapałki. Wyjmuję spod zlewu kilka starych gazet.

Upycham je między kłodami drewna na kominku, które leży tu pewnie od wielu lat. Przytykam do niego płonącą zapałkę – papier zajmuje się błyskawicznie, a po chwili palą się już także wysuszone na wiór stare szczapy. Przy kominku szybko robi się ciepło. Spoglądam na ciotkę i widzę, że zasnęła skulona w fotelu.

Później robię sobie herbatę i kanapki z pomidorami i musztardą. Przynoszę drewno i dokładam do kominka. Arynia fruwa po korytarzach. Biorę klucze z recepcji i otwieram wszystkie pokoje w „Wysokim Klifie", wszystkie łazienki, składziki, wejście na strychy i drzwi do piwnicy, żeby mogła sprawdzić każdy kąt. Gdy wracam do jadalni, widzę, że twarz ciotki wygładziła się – nadal nie jest młoda, ale nie ma już tylu zmarszczek. A na jej łysej głowie pojawiły się pierwsze odrastające kosmyki. Jeszcze nie widziałem, żeby włosy rosły w takim tempie. Dochodzę do wniosku, że ma to coś wspólnego albo z uzdrawiającym działaniem samych nici, albo arynii. Przykrywam ją skórzaną kurtką taty, siadam w drugim fotelu i wpatruję się w ogień płonący na kominku. Arynia gdzieś nade mną czyści dom, a ja wzdycham i zamykam oczy, wtulając się głębiej w fotel. Nie zadzwoniłem do szpitala. Zrobię to jutro, decyduję i zasypiam po chwili.

– Zasnęłam – budzi mnie cichy głos ciotki. – Przesiedzieliśmy tu całą noc?

Otwieram oczy i widzę, że ogień na kominku dawno wygasł. Za oknami świeci słońce i ćwierkają ptaki. Przeciągam się, przechylając głowę na boki, bo kark trochę mnie boli. Ciotka siedzi wyprostowana w fotelu obok i ogląda kosmyki swoich włosów, podnosząc je do oczu.

— Co się stało z moimi włosami? — mówi. — Dlaczego są takie krótkie?

Moim zdaniem wcale nie są krótkie, sięgają jej prawie do łokci. Tyle tylko, że już niemal całkowicie posiwiały.

— Jak się czujesz, ciociu? — pytam.

— Nie wiem — ciotka wypuszcza kosmyk i spogląda na mnie, mrużąc oczy: — Jestem strasznie słaba. Gdzie moje okulary? Co się stało?

— Chorowałaś — mówię.

— Chorowałam? — ciotka pociera czoło palcami. — Nic nie pamiętam. Gdzie ja położyłam te okulary...

Wstaje z fotela i opiera się ręką o brzeg półki nad kominkiem.

— Napaliłeś w kominku — stwierdza.

— Było zimno — wzruszam ramionami.

— Ostatni raz w tym kominku ogień palił się, jeszcze gdy żył tata — ciotka w zamyśleniu przesuwa dłoń po krawędzi półki. — Trzeba już włączyć piec w piwnicy. Która godzina?

Wyjmuję komórkę z kieszeni i sprawdzam.

— Wpół do ósmej.

— Zrobię ci śniadanie — ciotka zbiera włosy i odrzuca je do tyłu, a potem wyjmuje z kieszeni spódnicy gumkę.

— Może ja zrobię? — pytam. — Jeżeli jesteś słaba...

— Nie, nic mi nie jest. Muszę się napić kawy. Musiałam zostawić okulary u siebie.

— Ja przyniosę — wstaję i idę na górę.

Gdzie jest arynia? Okulary ciotki leżą u niej w pokoju, na podłodze obok kanapy. Podnoszę je i wychodzę na korytarz, nasłuchując, ale nie słyszę szelestu skrzydeł arynii. Gdzie mogła polecieć? Jeżeli schowała się w którymś z pokoi albo na strychu, nie znajdę jej przez tydzień! A może... Przechodzę do mojego pokoju i zaglądam przez niebieskie drzwi. Arynia śpi na łóżku między zmiętymi fałdami pustej powłoczki na kołdrę. Skrzydła ma złożone, akurat kiedy zaglądam, sapie cicho przez sen i przewraca się na plecy, pokazując wzdęty brzuszek. Objadła się. Wyjmuję po cichu klucz spod klamki, zamykam drzwi i przekręcam go w zamku od strony korytarza.

— Łukasz! — woła ciotka z parteru.

Podchodzę do schodów i spoglądam na nią z góry. Stoi z groźną miną obok kontuaru, wspierając ręce na biodrach i mrużąc oczy.

— Czy możesz mi powiedzieć, po jakie licho pootwierałeś wszystkie pokoje? — pyta.

Schodzę do niej, podaję jej okulary i zastanawiam się, co powiedzieć, żeby nie skłamać.

— Bałem się — mówię w końcu.

Wyraz twarzy ciotki zmienia się na strapiony. Zakłada okulary i mierzwi mi włosy trochę nieporadnym gestem.

— Tutaj nie ma się czego bać — mówi w końcu. — „Wysoki Klif" to najnudniejszy i najbezpieczniejszy dom pod słońcem. Chodź, zrobimy śniadanie.

Uśmiecham się do niej.

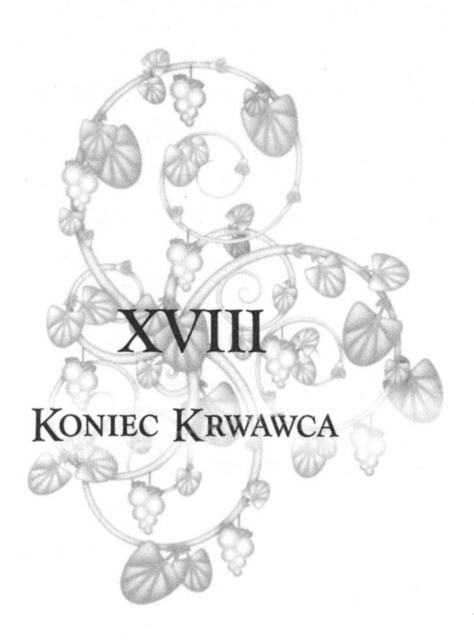

XVIII

Koniec Krwawca

jak poszło? — pyta Zgryz, gdy otwieram mu drzwi punktualnie o jedenastej.

Ma na głowie czapkę z daszkiem, a pod granatową bluzą z kapturem ukrywa tajemniczy długi przedmiot owinięty w kawałek brezentu.

— Bez najmniejszych problemów — mówię, wpuszczając go do środka.

— Przyszli już?

— Jeszcze nie, ale...

— Hej, nie zamykaj! — dobiega mnie głos Moniki z parkingu.

Przechodzą przez parking razem z Pchełką, ściskając pod pachami reklamówki z jakimiś metalowymi przedmiotami. Widać tylko wystające drewniane uchwyty.

— I jak? — pyta Monika, wchodząc do holu.

— Dzień dobry — ciotka Agata odzywa się do nich, stając na progu jadalni.

Ma bardzo zdziwioną minę. Zgryz, Pchełka i Monika gapią się na nią przez chwilę. W końcu Mona odzywa się pierwsza:

— Dzień dobry. Jak się pani czuje?

— Dobrze. A skąd wiesz, że chorowałam?

— Łukasz nam mówił. Wczoraj — wyjaśnia Pchełka.

— Nie wiedziałam, że masz już w Brzegu przyjaciół — mówi do mnie ciotka, uśmiechając się niepewnie.

— A tak jakoś... — wzruszam ramionami, uśmiecham się i mówię: — Mam przyjaciół.

— To dobrze.

— Proszę pani, możemy się pobawić z Łukaszem? — pyta grzecznie Zgryz.

— Och. No pewnie, jasne. Oczywiście, że możecie... — Ciotka mruga przez moment, a potem, wskazując pakunki, pyta: — A co tam macie?

— Tutaj? — Monika zerka na ściskaną pod ramieniem reklamówkę. — A nic. Zabawki takie. Do zabawy.

— Aha. No, dobrze, bawcie się — ciotka ma tak zdumiony wyraz twarzy, że mało nie parskam śmiechem. — Zrobić wam jakieś kanapki może?

— Nie, dziękujemy — chórem odpowiada Mona i Zgryz, a Pchełka robi nieszczęśliwą minę, ale też po sekundzie kręci przecząco głową.

— To my pójdziemy do mnie na górę, ciociu — mówię.

— Super, że już się pani dobrze czuje — stwierdza Pchełka.

— Tak... No, tak, oczywiście... — odpowiada ciotka, a my ruszamy po schodach na piętro.

Zamykam za nami niebieskie drzwi, a Monika głośno wypuszcza powietrze.

— Błyskawicznie się pozbierała — mówi. — Nie spodziewałam się tego. Mało brakowało...

Wyjmuje z reklamówki ogromny ogrodowy sekator, a Pchełka z drugiej nieco mniejszy. Zgryz uśmiecha się szeroko i odwija z brezentu siekierę z plastikowym, czerwonym trzonkiem.

— Zabawki — puszcza do mnie oko, a ja uśmiecham się porozumiewawczo i wyciągam zza komody sekator ciotki, który znalazłem za drzwiami do piwnicy i przemyciłem do swojego pokoju pół godziny temu.

— A nawet się nie naradzaliśmy — mówię.

— Wielkie umysły myślą podobnie — stwierdza Pchełka.

— Gdzie ona jest? — pyta Zgryz. — Nie uciekła ci, mam nadzieję.

— No coś ty. Śpi sobie w powłoczce. Sama do niej wróciła — kiwam głową w stronę łóżka. — Zaczynamy?

— Jasne!

Staję przed niebieskimi drzwiami i pukam — dziś już tylko trzy razy i wiem, że przejście się otworzyło.

— To dzieje się coraz szybciej — mówię. — Boję się, że następnym razem przejście po prostu pozostanie otwarte na stałe.

— Nie będzie następnego razu — twardo mówi Zgryz. — Dziś musimy zakończyć sprawę i więcej już tam nie wrócisz. To zbyt niebezpieczne. Rozumiesz?

— Rozumiem — wzdycham, bo wiem, że ma rację.

Jednak ten srebrny świat jest taki piękny... Najchętniej bym z niego nie wracał. Gdyby nie mama, która wciąż śpi — niedawno dzwoniłem do szpitala i rozmawiałem z pielęgniarką. Stan bez zmian. Zostałbym tam, gdyby nie ona... I nie ciotka Agata.

— No, to chodźmy — mówi Monika, podnosząc ostrożnie powłoczkę z arynią i biorąc w drugą rękę sekator.

Gałęzie glomów są niezwykle twarde, a my musimy oczyścić dróżkę i trawniki po bokach w promieniu pięciu metrów — tak twierdzi Pchełka — bo inaczej arynie nie przelecą. Pot zalewa mi oczy, ucinam kolejne odgałęzienie krzewu sekatorem ciotki i zdejmuję skórzaną kurtkę.

— Mam nadzieję, że nie będą im przeszkadzały korzenie pod ziemią — sapię. — Bo w życiu nie damy rady ich wykopać.

— Nie gadaj, tylko wycinaj — Monika z wysiłkiem odcina grubą gałąź. — Ile jeszcze?

— Na moje oko mniej niż połowa — stwierdza Zgryz, oglądając nasze dzieło.

Przejście między zaroślami ma już ponad dwa metry, po bokach leżą sterty uciętych i odrąbanych gałęzi. Srebrne kulki błyszczą w trawie dookoła nas. Między drzewami za naszymi plecami unoszą się dziesiątki arynii. Czekają, jakby doskonale wiedziały, co chcemy zrobić.

— Wygląda, jakby rozumiały, o co nam chodzi — stwierdza Zgryz, czytając w moich myślach.

— Myślisz, że są inteligentne? — pytam.

— Kiedyś nie były — stwierdza zdyszany Pchełka. — Ale w końcu wszystkie są jednym wielkim mózgiem. Mogły zmądrzeć.

— Jeszcze ten krzak i będzie z głowy — oświadcza Mona.

— Nie kusi cię? — pytam Zgryza, wskazując zwisające owoce glomów.

— Kusi — przyznaje Zgryz. — Ale pewnych rzeczy lepiej nie wiedzieć. Poza tym nie wierzę, że to jest jedyny możliwy wariant rozwoju wypadków. Myślałem nad tym w nocy. Tak może wyglądać Ziemia za cztery miliardy lat. Ale nie musi. W końcu od nas też zależy to, jak będzie wyglądała przyszłość. Przyjmijmy, że to tylko jedna z możliwości.

— Przestańcie gadać i mi pomóżcie! — ponagla nas Monika.

Po chwili krzak przewraca się na dróżkę. Odciągamy na bok gałęzie. Arynie nadal czekają.

— I co teraz? — pytam.

— Pchełka? — zwraca się do chłopaka Zgryz.

Pchełka przez chwilę robi komicznie zdumioną minę, bo chyba po raz pierwszy w życiu ktoś prosi go o radę. Uśmiecha się uszczęśliwiony, a po chwili kręci głową:

— Nie wiem. Powinny już przelecieć. Chyba że... — spogląda pod nogi, na kulki glomów leżące w trawie. — ...chyba że je też musimy posprzątać.

— O, mamo — wzdycham i zaczynam zbierać owoce.

Po dwudziestu minutach dróżka i trawnik dookoła są dokładnie posprzątane.

— No i? — pyta Monika. — Dlaczego nie lecą?

— Możecie już przelecieć! — wołam do arynii, podchodząc do nich i wskazując szeroki prześwit między zaroślami. — Słyszycie?

Arynie unoszą się w miejscu, leniwie machając skrzydłami.

— O co im chodzi? — odwracam się w stronę Zgryza, który przygląda się aryniom ze zmarszczonym czołem. — Dlaczego nie lecą?

— Nie wiem — odzywa się cicho. — Może jednak korzenie w ziemi je powstrzymują.

— Trudno, nic z nimi teraz nie zrobimy — oznajmia Monika, podając mi kurtkę. — Wracajmy. Przyjdziemy jutro z łopatami.

— Nie — kręcę głową. — Nie będziemy mogli wrócić, dobrze wiesz. Przejście się nie zamknie, jeśli jeszcze raz je otworzymy.

— W takim razie musimy sobie darować — wzrusza ramionami Monika.

Zakładam kurtkę i mówię:

— Nie mogę. Wy wracajcie, ja muszę do niego iść i spróbować go uwolnić.

— Przecież nie masz szans! — wykrzykuje Zgryz.

Patrzę na niego przez krótką chwilę, a potem powoli zbliżam się do arynii, która unosi się w powietrzu najbliżej. Stworzenie przygląda mi się, ale nie ucieka. Ostrożnie wyciągam ramię. Arynia zerka na moją rękę, jej skrzydła uderzają mocniej. Przez moment nic się nie dzieje. Nagle arynia zbliża się do mnie wolniutko i z wahaniem siada na moim przedramieniu, zupełnie jak myśliwski sokół na ramieniu sokolnika, którego widziałem kiedyś w telewizji. Jej łapki chwytają mocno fałdy skórzanej kurki i stworek składa skrzydełka. Jest zaskakująco lekki.

— Och — szepcze Monika. — Jak to zrobiłeś?

— Nie wiem — odszeptuję.

— Ucieknie — ostrzega cicho Zgryz. — A nawet jeśli uda ci się ją przenieść przez glomy, to i tak jedna arynia nie poradzi sobie z Krwawcem.

— Mimo wszystko muszę spróbować — odpowiadam półgłosem i ostrożnie ruszam w stronę przejścia.

Arynia rozkłada skrzydła na boki, ale tylko po to, żeby utrzymać równowagę. Nie podrywa się do lotu, nawet gdy wkraczam między zarośla. Zerkam przez ramię i widzę, że Zgryz, Monika i Pchełka idą za nami.

— Mieliście wracać — mówię do nich półgłosem.

— To ty tak powiedziałeś — stwierdza Monika.

Uśmiecham się i idę dalej, ostrożnie niosąc arynię. Po chwili docieramy do pierwszej latarni. Oglądam się na Monikę z triumfalną miną i wtedy widzę, że przez przecinkę za nami przelatuje jedna arynia. Zaraz za nią druga, potem trzecia i nagle arynie wsypują się do doliny niczym płatki owsiane do miski z mlekiem. Zgryz uśmiecha się do mnie i pokazuje uniesiony kciuk. Ruszamy w stronę miasteczka, a arynie szeleszczą i szumią dookoła nas. Chce mi się śmiać i czuję taki przypływ energii, że zaczynam biec ścieżką w dół — oczywiście na tyle prędko, na ile pozwala mi moja krótsza noga. Arynia na moim ramieniu przez chwilę mocniej chwyta łapkami kurtkę, ale puszcza ją i unosi się w powietrze.

— Szybciej! — woła Monika, śmiejąc się, a arynie przyspieszają razem z nami.

Czubki ich skrzydeł muskają moje dłonie, stworzenia szepczą coś, ale ich głosy zlewają się w jeden cichy grzmot, nie potrafię ich rozróżnić. Błękitną falą wlewają się na ulice, otaczają domy. Pierzchające nici lśnią słabo w bladym, ogromnym słońcu. Pchełka odbija w bok, zmierza do jednego z domów i otwiera na oścież jego drzwi solidnym kopniakiem. Zaczynamy go naśladować — biegamy od domu do domu, a arynie znikają w ich wnętrzach. Po chwili docieram do parterowego domkiem z szyldem „Krwawiec" wiszącym nad drzwiami.

— To tutaj? — pyta Monika, stając obok mnie.

— Tak. — Kiwam głową.

— Więc otwórz i wpuść arynie — mówi.

— Najpierw chcę, żeby nas zobaczył. Żeby wiedział, że mu się nie udało.

— Ale przecież mówiłem ci, że nici nie myślą — odzywa się Pchełka. — To tak samo, jakbyś oczekiwał, że karaluch zrozumie, dlaczego chcesz się go pozbyć z domu.

— Może masz rację — wzruszam ramionami. — Ale mimo wszystko...

Uchylam skrzypiące drzwi i wsuwam się do mrocznej pracowni. Za mną wchodzą pozostali, a Zgryz pociąga klamkę do siebie, blokując dostęp aryniom.

Krwawiec stoi za kontuarem w tym samym miejscu, w którym stał, gdy zobaczyłem go po raz pierwszy. Jego twarz niknie w mroku.

— Wróciłem — mówię głośno.

Krwawiec powoli unosi głowę i spogląda na mnie.

— I nie jestem sam — oznajmiam. — Zaraz będzie po tobie. A on będzie wolny.

— Tak? — szepcze Krawiec. — Nie ssssądzę...

Obchodzi kontuar i staje naprzeciw nas, przechylając głowę i wbijając we mnie białe oczy z maleńkimi, czarnymi źrenicami.

— Jessssteśśśśmy tu od milionów lat — szepcze. — I będziemy przez nasssstępne miliony. Dopóki ssssłońce nie zgaśśśśnie...

— No to mam dla was wiadomość — mówię twardo. — Słońce gaśnie dzisiaj.

Kiwam głową w stronę Zgryza, który uchyla drzwi. Pracownię zalewa jasne światło. Krwawiec nagle pochyla się gwałtownie, otwiera usta coraz szerzej i szerzej, wyrzucając z nich srebrne, wijące się sploty nici.

— Cofnij się! — krzyczy do mnie Monika, ale w tym momencie światło gaśnie.

Do sklepiku przez otwarte drzwi wpadają arynie — dziesiątki, a może nawet setki. Krwawiec krzyczy, a stworzenia opadają go, oblepiają błękitnawą chmarą, tłoczą się i przepychają.

— NIE!!! — z plątaniny skrzydeł dobiega nagle pełen rozpaczy krzyk.

Nie wiem, czy to krzyk Krwawca, czy może arynii. I nagle jest już po wszystkim. Ptaki zawracają i wylatują przez otwarte drzwi. Na podłodze klęczy mężczyzna. Oddycha głośno, wsparty o deski. Podchodzę do niego i kucam tuż obok.

— Uważaj — cicho mówi Zgryz.

Mężczyzna podnosi głowę i spogląda na mnie zamglonym wzrokiem. Ma niebieskie oczy, zupełnie takie same jak moje.

— Już w porządku — mówię do niego, biorę go pod rękę i pomagam mu wstać.

Opiera się o kontuar i chowa twarz w dłoniach.

— Kto to jest? — pyta cicho Monika.

— Ojej... — nagle odzywa się Pchełka, ale nie zwracam na niego uwagi.

Ciemne kosmyki odrastających włosów szybko pokrywają głowę mężczyzny, a on przeciera oczy i spogląda na mnie.

— Ile to trwało? — pyta ochrypłym głosem.

— Bardzo długo — odpowiadam.

— Ojej! — głośniej powtarza Pchełka. — Coś...

— Kim jesteś? — pyta mężczyzna, przyglądając mi się zmęczonym wzrokiem. — Dlaczego masz na sobie moją kurtkę?

— To wcale nie jest... — zaczyna Pchełka i urywa nagle. Zniecierpliwiony odwracam się w jego stronę i już mam mu powiedzieć, żeby przestał przeszkadzać, kiedy dostrzegam wyraz jego twarzy i słowa zamierają mi na ustach. Pchełka jest krańcowo przerażony, wpatruje się w przestrzeń przed sobą niewidzącym wzrokiem.

— Marek? — pełnym niepokoju głosem odzywa się Monika.

Pchełka oblizuje błyskawicznie wargi i mówi szybko:

— My wcale nie jesteśmy w Brzegu! Nigdy nie byliśmy!!!

Nagle w miejscu, w którym stoi, rozbłyskuje kula oślepiającego białego światła i Pchełka... znika! Powietrze wypełnia pustą przestrzeń z głośnym „POP!". Zupełnie jakby korek wystrzelił z butelki szampana.

— Marek!!! — krzyczy dziewczyna.

Dopada miejsca, w którym stał przed chwilą chłopak, opada na kolana i kładzie ręce na podłodze, jakby myślała, że Pchełka się w niej zapadł.

— Gdzie on jest?! — wykrzykuje, podnosząc głowę i patrząc na nas. — Gdzie jest mój brat? Co się...

Nagle urywa, a jej oczy rozszerzają się ze zdumienia i mówi tylko:

— Och.

Światło rozbłyska ponownie i Monika znika.

— Co się dzieje? — pyta mężczyzna.

W tym momencie bez słowa, w kolejnym oślepiającym blasku znika za nią Zgryz.

— Tato! — wykrzykuję, łapiąc rękaw czarnego garnituru, w który ubrany jest mój ojciec. — Tato, wróć do „Wysokiego...

Nagle otacza mnie głośny szum i białe, ostre światło. Głowę przeszywa mi jaskrawa błyskawica bólu, czuję, że tracę równowagę, i zaciskam powieki z całej siły. Spadam! Ból i światło nagle bledną, zostają za mną. Czuję, że leżę na czymś miękkim. Ten zapach... Wciągam gwałtownie powietrze do płuc jak ryba wyrzucona na brzeg i mrużąc powieki spoglądam przed siebie. Próbuję zorientować się, gdzie jestem.

XIX

Mama, szpital i toyota

— On też? — wykrzykuje kobieta stojąca w nogach mojego łóżka. — Oni wszyscy? To jest po prostu... Cud!

— Niech pani szybko biegnie po lekarza! — odzywa się jakiś głos z boku.

Znajomy głos. Próbuję odwrócić głowę, jest ciężka jak z ołowiu.

— Mama? — wykrzykuję, ale z mojego gardła wydobywa się tylko cieniutki, zachrypnięty szept.

— Jestem! Jestem cały czas, Łukaszku — mówi moja mama, która siedzi przy łóżku i ściska mocno moją rękę w swojej dłoni.

— Obudziłaś się. Nareszcie — oczy zaczynają mnie piec od łez.

— To ty się obudziłeś, kochanie — mówi mama i widzę, że też płacze. — Byłeś w śpiączce przez bardzo długi czas, ale ja wiedziałam, że się obudzisz.

Ja byłem w śpiączce? Coś jej się poplątało, przecież to ona była... W tym momencie za mamą otwierają się drzwi i do sali wpada jakaś kobieta. Za nią mężczyzna, a za nim...

— Obudził się? — wykrzykuje zdenerwowanym głosem ciotka Agata. — Naprawdę?

— Cześć, ciociu — mówię i próbuję się uśmiechnąć.

Ciotka dopada do mojego łóżka, siada na kołdrze i chwyta moją drugą rękę.

— Ty mnie nie znasz, ale ja jestem twoją... — urywa, bo brakuje jej tchu, a ja kończę za nią:

— Oczywiście, że cię znam. Nie pamiętasz? Jesteś Agata, siostra mamy. Moja ciocia.

Ciotka Agata wpatruje się we mnie osłupiałym wzrokiem, a potem spogląda na mamę.

— Musiał słyszeć nasze rozmowy — odzywa się drżącym głosem mama. — Wszystko słyszał.

— Tata jest w „Wysokim Klifie" — ciągnę, bo chociaż brakuje mi sił i czuję, że zaraz zasnę, muszę im powiedzieć, to bardzo ważne: — Tata wrócił do „Wysokiego Klifu". Przez niebieskie drzwi, zostawiliśmy otwarte przejście. Ma na sobie czarny garnitur.

— Uspokój się, synku. — Mama wpatruje się we mnie pełnymi troski oczami. — Ja ci tylko opowiadałam o tym wszystkim.

— Naprawdę słyszał, o czym rozmawiałyśmy? — pyta ciotka, ale jej głos dobiega z oddali, a moje powieki nagle robią się strasznie ciężkie i wszystko się zamazuje.

— Podobno oni słyszą, nawet jeśli nie reagują — dociera do mnie jeszcze głos mamy. — Dlatego trzeba z nimi rozmawiać, mówić do nich jak najwię...

Jej głos zamiera, a ja odpływam w mocny sen, w którym nic mi się nie śni.

— Niczego nie pamięta — mówi Monika, przyglądając się Pchełce, który leży na swoim łóżku pod oknem i je budyń waniliowy. — Nic a nic.

— Ale ty pamiętasz — stwierdzam.

— Pamiętam, ale... — Monika pochyla głowę i skubie brzeg swojej piżamy — ...ale mam wrażenie, że to wszystko jakoś się zaciera, wiesz? Za każdym razem, gdy zasypiam, a potem się budzę, tamten sen...

— To nie był sen!

— No, tak. Za każdym razem jest bledszy. Ty tak nie masz?

— Nie, nie mam — mówię pewnym głosem, chociaż to nie do końca jest prawda.

Od chwili, gdy wszyscy czworo się obudziliśmy, minął już prawie miesiąc. Zasypiałem i budziłem się przez te tygodnie mnóstwo razy, ale to, co wydarzyło się w srebrnym świecie, jest dla mnie prawie tak samo żywe, jak było wtedy. Wystarczy, żebym zamknął oczy, a od razu mogę zobaczyć arynie, spiralne drzewa, fiołkowe niebo i Krwawca. I mojego tatę. Już nie potrzebuję jego fotografii, wiem doskonale, jak wygląda. Ciotka Agata wyjechała do „Wysokiego Klifu", ale dzwoni prawie codziennie. Mówi, że taty nie było w pensjonacie, a dom był zamknięty na cztery spusty — tak jak go zostawiła, wyjeżdżając do Warszawy po telefonie mamy. Bo to mama do niej zadzwoniła, a nie żadna ubezpieczalnia ani lekarze.

Mama zadzwoniła, bo kiedy po wypadku okazało się, że nie można mnie obudzić, nie wiedziała, kogo prosić o pomoc. Nie chciała być sama, więc postanowiła się pogodzić z Agatą.

Tata nie przeszedł przez niebieskie drzwi. Dlaczego? Wolał zostać w srebrnym świecie? A może nie potrafił znaleźć przejścia? A może zamknęło się samo, zanim zdołał do niego dotrzeć? Będę musiał to wyjaśnić.

Wszyscy dookoła mówią mi, że przez te miesiące leżałem w łóżku i spałem. Może tak. Mama podobno prawie bez przerwy przy mnie była, opowiadała mi o „Wysokim Klifie", o dziadku, babci. O ciotce Agacie, o drzwiach do swojego pokoju pomalowanych na niebiesko. Nawet o moim ojcu — o tym, jak się poznali, jak wyglądał, i o dniu, gdy zniknął. Twierdzi, że jej opowieści docierały do mnie i zmieniały się w sny. Ale ja nie wierzę, że to jest cała prawda. Nic mi nie mówiła o Krwawcu i o srebrnym świecie. A ja byłem tam, przeszedłem przez niebieskie drzwi. Odnalazłem tatę i odkryłem, dlaczego nie mógł być przy mnie. Na dodatek spotkałem Pchełkę, Monikę i Zgryza, byli tam ze mną i to pamiętają. No, prawie pamiętają. Monika pamięta najlepiej, Pchełka prawie wcale, a Zgryz chyba pamięta, ale trudno się z nim porozumieć. Był w śpiączce najdłużej z nas wszystkich i teraz bardzo powoli dochodzi do siebie.

Wcześniej myślałem sobie, że śpiączka to po prostu tylko taki mocny sen, a gdy się kończy, ten, kto spał, po prostu otwiera oczy, wstaje i idzie do domu. Okazało się, że na ogół wcale tak nie jest. Po pierwsze, wcale nie leży się cały czas w łóżku pod kołdrą. Codziennie człowiekiem zajmują się pielęgniarki i fizjoterapeuci, którzy trenują jego mięśnie, żeby nie zniknęły, bo przecież kiedy się leży, mięśnie wcale nie pracują, więc robią się coraz słabsze i cieńsze. A po drugie, nawet gdy człowiek w końcu budzi się ze śpiączki, dzieje się to powoli, a potem jest trudno — trzeba długo pracować nad tym, żeby móc normalnie chodzić, mówić i myśleć.

Nasz przypadek jest podobno wyjątkowy — tak mówią lekarze w ośrodku. Wszyscy czworo leżeliśmy w tej samej sali i wszyscy czworo obudziliśmy się niemal jednocześnie. Coś takiego się nie zdarza.

Przez ten miesiąc opowiadałem o srebrnym świecie wszystkim dookoła chyba ze sto razy, już mam dosyć. Pewnie, gdyby była to tylko moja opowieść, dawno machnęliby na nią ręką i stwierdzili, że wszystko mi się przyśniło. Ale Monika też potwierdza moje słowa. To dla specjalistów zagadka. Nazywają to snem zespołowym. Niech sobie mówią, co chcą, jest mi już wszystko jedno. Chciałbym iść do domu.

Monika i Pchełka naprawdę są rodzeństwem, ale nigdy nie byli w Brzegu — to znaczy wcześniej, przed wypadkiem. Mieszkają pod Rzeszowem i oboje zapadli w śpiączkę po zatruciu się jakimiś chemikaliami, które wpuściła do rzeki wytwórnia papieru w ich miejscowości.

Zgryz jest z Warszawy, tak jak ja. Chorował na cukrzycę, ale żaden lekarz tego nie odkrył na czas, chociaż bardzo źle się czuł. Leczono go na różne sposoby, ale sprawa wyjaśniła się dopiero, kiedy Zgryz zapadł w śpiączkę. Podobno na ogół z takiej śpiączki dość łatwo jest kogoś obudzić, ale przypadek Zgryza okazał się wyjątkowy i z nim było inaczej.

Mama niby nie wierzy w moją opowieść, ale chyba sama do końca nie wie, co ma o niej myśleć. Twierdzi, że o wszystkich szczegółach, o których mówię — tych dotyczących „Wysokiego Klifu", taty, nawet jego skórzanej kurtki — sama mi powiedziała, gdy byłem w śpiączce. A srebrny świat, nici, arynie i Krwawiec tylko mi się przyśnili. Ale przecież nie przeszedłem przez niebieskie drzwi sam — Mona, Pchełka i Zgryz mi towarzyszyli. Monika opowiedziała lekarzom o wszystkim zupełnie niezależnie ode mnie. To jest fakt, który trudno zlekceważyć. Kiedy więc mówię o srebrnym świecie, a Monika dopowiada różne szczegóły, mama słucha, ale o nic nie pyta. Siedzi z twarzą białą jak papier. Najpierw myślałem, że jest zła na mnie, ale dopiero potem domyśliłem się, że po prostu jest wystraszona. Nie rozumie, w jaki sposób mogło nam się śnić to samo, a podobnie jak większość ludzi boi się tego, czego nie potrafi zrozumieć. Uświadomiłem sobie, że tak jest, obserwując ją i innych dorosłych, którzy ze mną rozmawiają. Postanowiłem więc nie mówić jej już więcej o świecie za niebieskimi drzwiami. Nie chcę, żeby moja mama się bała.

Pchełka i Monika wychodzą do domu pierwsi. Zabiera ich mama — jest miła, sympatyczna i okrągła, tak jak Pchełka. Wymieniamy się adresami mailowymi — myślę, że Monika będzie do mnie pisała, ale co do Marka to już nie mam pewności.

Ja wychodzę trzeci, w połowie października. Zgryz zostaje jeszcze na jakiś czas. Będę musiał tu wracać na badania, więc na pewno się spotkamy. Moja lewa noga rzeczywiście jest krótsza. Podobno można ją zoperować, ale nie od razu — najwcześniej wiosną. Mama pytała, czy chcę — powiedziałem, że muszę to przemyśleć. Nie lubię szpitali, ale nie lubię też krótszej nogi. W szpitalu byłbym tylko przez kilka następnych tygodni albo miesięcy, a noga będzie ze mną do końca życia — no, przynajmniej mam taką nadzieję. Więc pewnie pójdę na operację, ale o tym pomyślę później — na razie mam ważniejsze rzeczy na głowie.

Wyjeżdżamy w niedzielę rano. Mama budzi mnie bardzo wcześnie. Słońce świeci i jest ciepło, chociaż to prawie koniec października. Na niebie jest tylko kilka chmurek. W przedpokoju stoją już nasze bagaże. Jemy śniadanie, a mama pije kawę z mlekiem i pyta:

— Gotowy?

Pewnie, że jestem gotowy! Wynosimy bagaże do windy, a mama przekręca klucz w zamku i dwa razy szarpie klamkę, żeby upewnić się, że drzwi naprawdę są zamknięte. Uśmiecham się do niej. Potem zjeżdżamy windą do garażu i wpychamy bagaże do nowej toyoty, którą kupiła mama. Chociaż jest ich bardzo dużo, a auto ma niewielki bagażnik, wszystko się mieści.

— Na pewno nie będziesz się bał? — pyta mama, kiedy wsiadamy do toyoty — ona z przodu, ja z tyłu.

— Nie będę — kręcę głową, a ona przygląda mi się we wstecznym lusterku.

— Trzeba przełamać strach — mówi mama niby do mnie, ale chyba tak naprawdę przede wszystkim do siebie. — Po wypadku samochodowym, rozumiesz. Trzeba wsiąść do auta i jechać, bo inaczej ten strach będzie rósł i rósł i w końcu człowiek nigdy już nie da rady jeździć samochodem.

— Ja się nie boję — powtarzam.

— To dobrze. Gdyby coś było nie tak, to mi powiedz.

Wyjeżdżamy z podziemnego garażu i ruszamy na północ. Ulice są prawie puste, bo jest niedziela, więc wszyscy jeszcze śpią. Pani z GPS-u przyczepionego pod przednią szybą auta odzywa się nagle łagodnym, sztucznym głosem: „dwieście metrów prosto". Mama prawie podskakuje na siedzeniu kierowcy i szybkim ruchem wyłącza GPS. Siedzę sobie z tyłu przypięty pasami bezpieczeństwa. Mam puszkę z orzeszkami ziemnymi, colę i cztery komiksy. Za oknami przesuwają się drzewa — wyjechaliśmy z Warszawy. Toyota nie jest nowa, ktoś używał jej wcześniej, ale wygląda całkiem nieźle, chociaż jej siedzenia nie są pokryte skórą, tylko ciemnozielonym materiałem, a deskę rozdzielczą zrobiono z matowego czarnego plastiku. Wjeżdżamy na autostradę do Poznania, otwieram puszkę orzeszków i wyglądam przez okno. Myślę o moich nowych komiksach, ale na razie szkoda mi je czytać. Przy autostradzie jest siatka, żeby zwierzęta nie wybiegały na jezdnię. Mijamy zjazd do Kutna i na łące, tuż za siatką, widzę grupę dzieci. Ciągną metalowy wózek, pomalowany na ostre kolory, w wózku siedzi jakaś mała dziewczynka i śmieje się na całe gardło. Ciekawe, jak to jest mieszkać w takim miejscu między miastami, gdzie prawie nic nie ma? Pewnie nudno, ale kto wie — ciotka uważa „Wysoki Klif" za nudne miejsce, a przecież wcale taki nie jest.

Dojeżdżamy do Brzegu wczesnym wieczorem. Ciotka Agata wybiega do nas na parking wysypany żwirem. Wysiadam z auta i opierając się na kuli, oglądam pensjonat. Wygląda chyba tak samo, jak go zapamiętałem, tylko liście pnącego wina na ścianach zabarwiły się na kolor ognistej czerwieni. Chociaż... Jest trochę mniejszy, a wieżyczka z boku budynku wcale nie przypomina wieżyczki. To rzeczywiście tylko wysoka, wąska przybudówka. Odwracam się i patrzę za siebie — za moimi plecami widzę ulicę, a po drugiej stronie chodnik i żółtą barierkę, oddzielającą go od przepaści. W dali szumi morze — jest grafitowe i wzburzone. Wszystko niby takie samo, ale jednak jakieś bardziej... Zwykłe? Tak, to chyba dobre słowo.

— Denerwowałam się. — Ciotka Agata całuje mamę w policzek na powitanie, a potem obejmuje mnie.

— A my nie — mówię i odwzajemniam jej uścisk.

Wchodzimy do „Wysokiego Klifu". W środku jest ciepło, a w jadalni na kominku płoną drewniane szczapy.

— Napaliłaś w kominku? — pyta mama, zdejmując kurtkę.

— Napaliłam — uśmiecha się ciotka. — Stał nieużywany od dwudziestu lat, był już najwyższy czas, żeby to zmienić. Chodźcie, zrobiłam kolację.

Rozglądam się ze zmarszczonym czołem. Pokój odrobinę się zmienił. Jest mniejszy, zresztą wszystko jest mniejsze — i stół, i kominek, i ustawione przed nim fotele. Lisy nadal stoją na półce nad paleniskiem, ale wcale nie są wypchane. To po prostu ceramiczne figurki. Robi mi się trochę nieswojo. Najchętniej pobiegłbym na górę, ale nie chcę, żeby ciotce Agacie było przykro, bo pewnie napracowała się w kuchni. Siadamy przy długim, ciemnym stole, a ciotka przynosi z kuchni półmisek, na którym leżą knedle ze śliwkami, śmietaną i cukrem. Nakładam trzy na talerz i zaczynam jeść, chociaż wcale nie jestem głodny. Mama i ciotka rozmawiają jakby nigdy nic, ale ja wcale się nie odzywam. Po kolacji ciocia i mama siadają w fotelach przed kominkiem.

— Pójdę na górę — mówię, wstając z krzesła i biorąc kule.

Mama i ciotka Agata nic nie mówią, chociaż przecież dobrze wiedzą, co spróbuję zrobić. Wpatrują się w ogień trzaskający na kominku, mama pochyla głowę.

Wchodzę po szerokich, trzeszczących schodach na piętro. Nie jest ich wcale tak dużo, jak zapamiętałem. Poręcz ma mniej rzeźbień, ściany są jaśniejsze. A korytarz na piętrze wcale nie jest tak mroczny i szeroki, na ścianach wiszą oprawione strony z jakieś starego kalendarza ze zdjęciami kotów. Na pewno ich tu nie było, może ciotka zawiesiła je kilka dni temu? Ale wyglądają na dość stare, mają wyblakłe kolory... Nie wiem dlaczego, ale robi mi się smutno i coś zaczyna dławić mnie w gardle. Skręcam w prawo i staję przed niebieskimi drzwiami. One przynajmniej się nie zmieniły. Serce bije mi głośno. Naciskam klamkę. Pokój z pomarańczową meblościanką, żółtymi ścianami, plakatem nad łóżkiem i kolorowymi zasłonkami jest niemal taki sam jak wtedy, gdy byłem tu ostatnio. Tyle tylko, że biurko nie stoi pod oknem, ale w rogu, ściany mają bledszy odcień, a łóżko nie jest zarwane. Leży na nim skórzana kurtka taty — ciocia Agata znalazła ją na strychu i przyniosła dla mnie. Dotykam palcami połyskliwej, popękanej miejscami skóry mającej kolor kasztanów i zakładam kurtkę. Wsuwam dłoń do kieszeni — scyzoryk jest na swoim miejscu.

Zamykam drzwi, staję przed nimi i wyjmuję komórkę z kieszeni dżinsów, a potem ustawiam stoper.

Biorę głęboki oddech, unoszę rękę i pukam w pomalowane niebieską farbą drewno. Pukam. Na stoperze powoli zmieniają się cyfry. Drzwi odpowiadają głuchym odgłosem na każde uderzenie. Pukam, czekając, aż ten odgłos się zmieni. Chociaż nikt mi nie wierzy, ja wiem, że tak się stanie.

Wystarczy tylko zapukać w odpowiedni sposób i...

Łukęcin, sierpień 2010 r.

SPIS TREŚCI

I Podróż, ważka i Cebulka 9
II Ciotka Agata 24
III Niebieskie drzwi 37
IV Pierwszy dzień w Brzegu 46
V Monika, Pchełka i Zgryz 54
VI Tata, scyzoryk i skórzana kurtka 63
VII Najtańsze przeprowadzki 77
VIII Srebrny świat
za niebieskimi drzwiami 86
IX Drzwi do innych światów 98
X Krwawiec 109
XI Srebrna nić 128
XII Monika, Pchełka i Zgryz
przybywają na pomoc 145
XIII W pułapce 155
XIV Gąsienica w korkociągowym lesie 163
XV Mechanizm obronny 172
XVI Glomy, arynie i skutki
„Projektu Welon” 182
XVII Znowu w „Wysokim Klifie” 196
XVIII Koniec Krwawca 205
XIX Mama, szpital i toyota 216

www.latarnik.com.pl

Marcin Szczygielski

ARKA CZASU

czyli wielka ucieczka Rafała od kiedyś przez wtedy do teraz i wstecz

Grand Prix oraz I Nagroda
w kategorii powieści dla dzieci między 10. a 14. rokiem życia
w III Konkursie Literackim im. Astrid Lindgren
na współczesną książkę dla dzieci i młodzieży

Rafał ma prawie dziewięć lat. Mieszka w Dzielnicy. Nie chodzi do szkoły, bo w Dzielnicy nie ma szkół dla dzieci w jego wieku. Wszyscy tu ciągle się wprowadzają lub wyprowadzają, więc Rafał nie ma żadnych przyjaciół. Dziadek, który się nim opiekuje, przez całe dni wędruje po Dzielnicy i gra na skrzypcach, aby zarobić na życie. Dlatego Rafał najczęściej siedzi sam w mieszkaniu. Ale nie jest samotny – ma książki i bibliotekę, która jest jedynym miejscem w Dzielnicy, do którego wolno mu chodzić samemu. Pewnego dnia bibliotekarka wręcza mu powieść „Wehikuł czasu" Herberta George'a Wellsa. Ta lektura odmienia życie chłopca, stając się początkiem wielkiej, niebezpiecznej przygody…

O ekranizacji książki „Za niebieskimi drzwiami":

„Za niebieskimi drzwiami" to projekt na film wzruszający, atrakcyjny wizualnie, wyważony... i mądry. Podjąłem się opieki nad tym projektem przykładając do niego wszystkie najważniejsze dla mnie kryteria. Nie zabrakło pośród nich oczekiwania na widowisko, bo i taka obietnica tkwi w scenariuszu.

Jan Jakub Kolski
reżyser

Pomysł przeniesienie książki na ekran przyjąłem z ogromną radością. Nie tylko dlatego, że jestem jej autorem, ale przede wszystkim dlatego, że wierzę w zawarty w niej potencjał, który już na etapie czytania powieści działa na wyobraźnię młodych odbiorców, a który jeszcze mocniej poruszy ich z ekranu kinowego.

Marcin Szczygielski
autor książki

„Za niebieskimi drzwiami" to film o miłości, o walce o życie, ale i o trudnych relacjach. Chciałbym aby ten film zmierzył się z problemami każdego dorastającego dziecka.

Mariusz Palej
reżyser

Każdy projekt kina familijnego jest dla mnie, jako krytyka filmowego, świętem. Filmy dla dzieci powstają u nas tak rzadko, że w ostatnich latach można by je policzyć na palcach jednej ręki. Tym większa radość i satysfakcja, jeśeli mam okazję zaznajomić się z projektem filmowym tak ciekawym i nowatorskim jak „Za niebieskimi drzwiami" w reżyserii Mariusza Paleja.

Łukasz Maciejewski
krytyk filmowy

Twórcy filmu:
reżyser: **Mariusz Palej**
autor zdjęć: **Witold Płóciennik**
Producent: **TFP Sp. z o.o.**
Andrzej Papis
Maciej Sowiński
scenariusz: **Adam Wojtyszko**
Magdalena Nieć
Katarzyna Stachowicz-Gacek

Obsada
Ewa Błaszczyk – ciotka Agata
Michał Żebrowski – Krwawiec
Magdalena Nieć – Mama Łukasza
Teresa Lipowska – Cybulska
Adam Ferency – Lekarz
Dominik Kowalczyk – Łukasz
Marcel Sabat – Ojciec Łukasza